WHERE'S
THE WORD

83

Printed in USSR for the Publishers
Peter Haddock Ltd., Bridlington, England

SECTION ONE

Answers to this section on pages 46–57

1. HAVING A BARBECUE

ACCESSORIES
AIR VENTS
BRICKS
BURGERS
CAST IRON
CHARCOAL
CHICKEN
COOKING SMELLS
CUTLERY
EMBERS
FATS
FISH

FLAME
FORK
FUEL
GARDEN
GLOW
GRILL
GUESTS
HEAT
KEBABS
LID
LIGHTS
PANS

PLATES
POTATOES
RANGE
ROTATE
SKEWERS
SMOKE
SPATULA
STEAK
TEMPERATURE
TRAYS
WHEELS
WINE

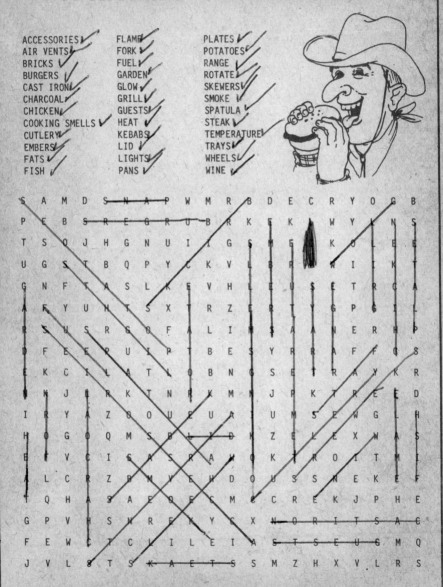

2. NON-UNIFORMITY

ABERRANT
ABNORMAL
AMORPHOUS
BUMPY
CAPRICIOUS
CHANGEABLE
CHOPPY
CONTRARY
DIFFERENT
DIVERSE

ERRATIC
EXCITABLE
FITFUL
INCONSISTENT
INCONSTANT
INDIVIDUAL
IRREGULAR
JERKY
PATCHY

RANDOM
ROUGH
SPASMODIC
SPORADIC
TEMPERAMENTAL
UNEQUAL
UNEVEN
UNIQUE
UNUSUAL
VARIABLE

Puzzle submitted by reader Mrs. E. Gregory, Enfield, Middx

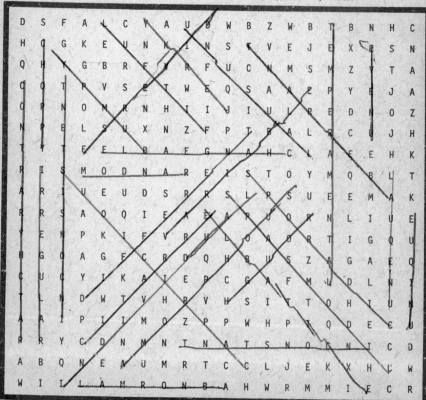

6

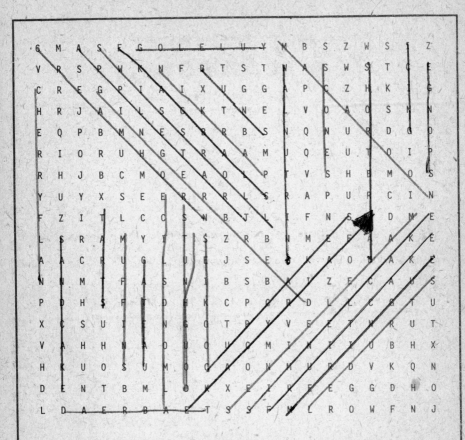

3. LET THEM EAT CAKE

ALMOND SLICE ✓
APPLE TART ✓
BUNS ✓
CHERRY FLAN ✓
COOKIES ✓
CREAM HORN ✓
CUP CAKES ✓
DOUGHNUTS ✓
FAIRY CAKE ✓
FRUIT CAKE ✓

GATEAU ✓
GINGERBREAD ✓
ICING ✓
MACAROON ✓
MADELEINES ✓
MERINGUE ✓
MUFFINS ✓
PARKIN ✓
SAND CAKE ✓
SCONES ✓

SHORTBREAD ✓
SIMNEL CAKE ✓
SLAB CAKE ✓
SPONGE ✓
STRUDEL ✓
SWISS ROLL ✓
TARTS ✓
TEA BREAD
WALNUT RING ✓
YULE LOG ✓

4. PASS THROUGH

APERTURE
CANAL
CHANNEL
CHASM
CHIMNEY
COLANDER
DOOR
EYELET
FLUE
FUNNEL
GAP
GATE
GULLY
HATCH
HOLE
LOOP-HOLE
OPENING

ORIFICE
PASSAGE
PERFORATION
PIN-HOLE
PIPE
PORCH
PORT-HOLE
PUNCTURE
RIDDLE
SHAFT
SIEVE
SLOT
TRAP-DOOR
TUBE
TUNNEL
VENT
WINDOW

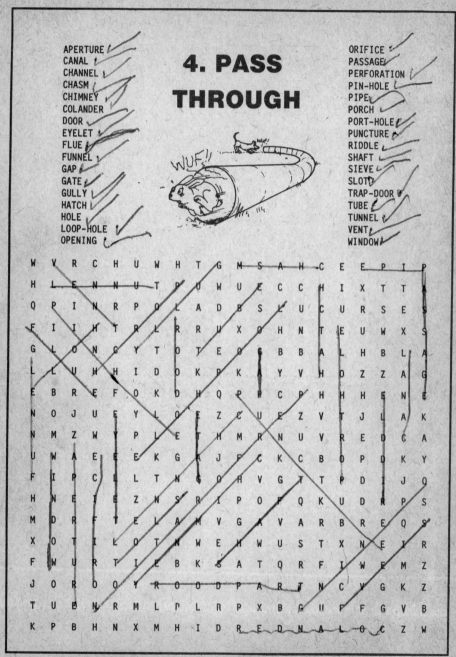

```
W V R C H U W H T G M S A H C E E P I P
H L E N N U T P U W U E C C H I X T T A
Q P I N R P O L A D B S L U C U R S E S
F I I H T R L R R U X Q H N T E U W X S
G L O N C Y T O T E O G B B A L H B L A
L L U H H I D O K P A Y V H O Z Z A G
E B R E F O K D H Q P P C P H H H E N E
N O J U E Y L O E Z C U E Z V T J L A K
N M Z W Y P L E T H M R N U V R E D C A
U W A E E K G A J F C K C B O P D K Y
F I P C L L T N G O H V G T T P D I J Q
H N E I E Z N S R I P O F Q K U D R P S
M D R F T E L A M V G A V A R B R E Q S
X O T I L O T N W E H W U S T X N E I R
F W U R T I E B K S A T Q R F I W E M Z
J O R O O Y R O O D P A R T N C V G K Z
T U E N R M L P L R P X B G U F F G V B
K P B H N X M H I D R E D N A L O C Z W
```

8

5. WHAT FOLK DO

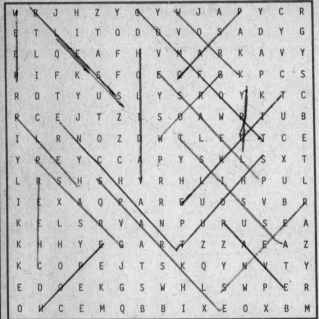

```
W B J H Z Y G Y W J A P Y C R
E T L I T O D O V O S A D Y G
E L Q E A F H V M A R K A V Y
P I F K S F O E G F B K P C S
R D T Y U S L Y S R O Y K T C
R C E J T Z I S O A W R I U B
I L R N O Z D W T L E H T C E
Y P E Y C C A P Y S K L S X T
L R S H S H Y R H L I H P U L
I E X A Q P A R E U O S V B R
K E L S R V A N P U R U S E A
K H H Y E G A R T Z Z A E A Z
K C O D E J T S K Q Y N V T Y
E D O E K G S W H L S W P E R
O H C E M Q B B I X E O X B M
```

ASSIST
BLESS
CHEER
COMFORT
CRY
ENCHANT
GASP
GRASP
GROW
HELP
HOLIDAY
HOPE
PLEASE
RAVE
SHOUT
SNEER
SPARKLE
TICKLE
WEEP
WORK

6. IN THE HIGH STREET

BAKER
BUS
BUTCHER
CAFE
CINEMA

GROCER
OFFICES
SHOPPERS
SHOPS
SIGNS

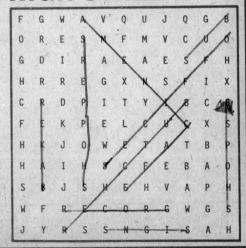

```
F G W A V Q U J Q G B
O R E S H F M V C U O
G D I R A E A E S F H
H R R E G X N S F I X
C R D P I T Y B C A H
F E K P E L C U C X S
H K J O W E T A T B P
H A I H S C E E B A O
S B J S H E H V A P H
W F R E C O R G W G S
J Y R S S N G I S A H
```

9

7. LEARNING A LANGUAGE

ABLATIVE
ACCENT
ACCUSATIVE
ADVERB
CASE
DATIVE
DECLENSION
DIALECT
DICTION
EXPRESSION
GENDER

GENITIVE
GESTURES
GRAMMAR
INFLEXION
NOUNS
ORIGIN
PARAPHRASE
PHRASES
PLURAL
PRONOUN
PUNCTUATION

SENTENCES
SINGULAR
SOUNDS
SPEAKING
SPELLING
SYMBOLS
SYNTAX
TENSE
VERBS
VOCABULARY
WORDS

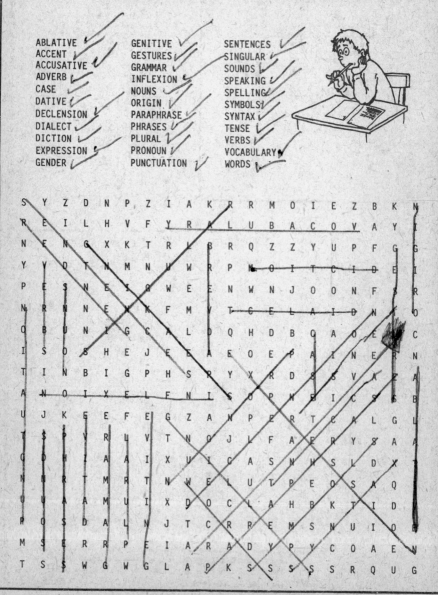

```
S Y Z D N P Z I A K R R M O I E Z B K N
R E I L H V F Y R A L U B A C O V A Y I
N E N G X K T R I B R Q Z Z Y U P F G G
Y V D T N M N U W R P N O I T C I D E I
P E S N E I G W E E N W N J O O N F R R
N R N N E N K F M V T C E L A I D N O O
O B U N I G C A L D Q H D B G A O E C N
I S O S H E J E E A E O E P A I N E R N
T I N B I G P H S P Y X R D S S V A Z A
A N O I X E L F N I S O P N E I C S S B
U J K E F E G Z A N P E R T C A L G L
T S P V R L V T N O J L F A E R Y S A A
O D H I A A I X U I G A S N H S L D X T
N N R T M R T N W E L U T P E O S A Q
U U A A M U I X D O C L A H B K T I D
P O S D A L N J T C R R E M S N U I O B
M S E R R P E I A R A D Y P Y C O A E N
T S S W G W G L A P K S S S S R Q U G
```

1. Hatchet
2. Coster's cart
3. Small, flighted weapon
4. Sounds like a consonant
5. Professor
6. Swift
7. Comes after third!
8. Meadow
9. Liverpool's river
10. Soft mud or slime
11. Grain crop
12. It has a famous bridge
13. London stands on this river
14. Rough woollen cloth
15. Newcastle upon – – – – ?

1. AXE
2. BARROW
3. DART
4. DEE
5. DON
6. FLEET
7. FORTH
8. LEA
9. MERSEY ✓
10. OUSE
11. ORIEL
12. SEVERN
13. THAMES
14. TWEED
15. TYNE

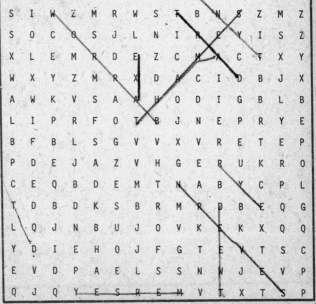

A DOUBLE PUZZLE
Solve the clues to find the
list of words hidden in the
puzzle. The answers are
in alphabetical order.

8. BRITISH RIVERS

9. MUSICAL SHOWS

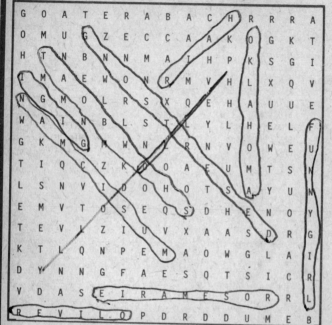

G	O	A	T	E	R	A	B	A	C	H	R	R	R	A
O	M	U	G	Z	E	C	C	A	A	K	O	G	K	T
H	T	N	B	N	N	M	A	I	H	P	K	S	G	I
I	M	A	E	W	O	N	R	M	V	H	L	X	Q	V
N	G	M	O	L	R	S	X	Q	E	H	A	U	U	E
W	A	I	N	B	L	S	T	L	Y	L	H	E	L	F
G	K	M	G	M	W	N	L	R	N	V	O	W	E	U
T	I	Q	C	Z	K	O	O	A	E	U	M	T	S	N
L	S	N	V	I	D	O	H	O	T	S	A	Y	U	M
E	M	V	T	O	S	E	Q	S	D	H	E	N	O	Y
T	E	V	L	Z	I	U	V	X	A	A	S	D	R	G
K	T	L	Q	N	P	E	M	A	O	W	G	L	A	I
D	Y	N	N	G	F	A	E	S	Q	T	S	I	C	R
V	D	A	S	E	I	R	A	M	E	S	O	R	R	L
R	E	V	I	L	O	P	D	R	D	D	U	M	E	B

ANNIE
BRIGADOON
CABARET
CAMELOT
CAROUSEL
DESERT SONG
EVITA
FUNNY GIRL
GIGI
HAIR
HELLO DOLLY
KISMET
MUSIC MAN
OKLAHOMA
OLIVER
ROSE MARIE
SHOWBOAT

10. HYMN WRITERS

BLISS
BRIDGES
COWPER
DIX
FABER
GILL
HEBER
ROSSETTI
STOWE
WESLEY

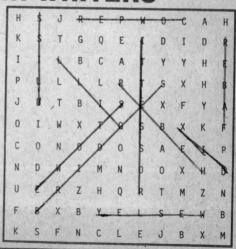

H	S	J	R	E	P	W	O	C	A	H
K	S	T	G	Q	E	I	D	I	D	R
I	I	L	B	C	A	T	Y	Y	H	E
P	L	L	L	R	T	S	X	H	B	B
J	B	T	B	I	S	X	F	Y	A	A
O	I	W	X	T	G	S	B	X	K	F
C	O	N	O	D	O	S	A	E	I	P
N	D	W	I	M	N	O	O	X	H	D
U	E	R	Z	H	Q	R	T	M	Z	N
F	B	X	B	Y	E	L	S	E	W	B
K	S	F	N	C	L	E	J	B	X	M

12

11. SUSSEX

ARUNDEL
BATTLE
BEACHY HEAD
BEXHILL
BRIGHTON
BURGESS HILL
CHICHESTER
COWDRAY PARK

CRAWLEY
CUCKFIELD
EAST GRINSTEAD
EASTBOURNE
HAILSHAM
HAYWARDS HEATH
HERSTMONCEUX
HORSHAM

HOVE
HURSTPIERPOINT
LEWES
LITTLEHAMPTON
MIDHURST
NEWHAVEN
PEACEHAVEN
PETWORTH

PEVENSEY
RYE
SEAFORD
SELSEY BILL
ST LEONARDS
STEYNING
WINCHELSEA
WORTHING

```
R E T S E H C I H C E N R U O B T S A E
E N O T H G I R B Y E S N E V E P M A Z
Y E L W A R C N E V A H E C A E P Z M H
N O T P M A H E L T T I L M W X D P U O
W Y P N E H L L I H X E B G A A R E H
O U V Y Y A L E D N U R A N E E S A E K
R P R M W Y I B E V O H I H S T S R R M
T R L A J W H R P F O N Y L P T S A M M
H F L H B A S W M L Y H E I G T P S T H
I U I S M R S K R E C H E R M Y D S T E
N S B L A D E F T A C R I O A R R R Y L
G E Y I H S G S E N P N N R A U O R Q T
L W E A S H R B I O S C D N H W F V O T
R E S H R E U W I T E W O D T A A R Q A
U L L Z O A B N E U O E I E K W E C Q B
Z Q E N H T T A X C L M P I T P S R A I
B T S S J H D D R T J N E V A H W E N U
P T Q O J Z V D S T O D L E I F K C U C
```

13

12. RISING DAMP

```
G U C V W N E F D Z R E R L D G P V Z E
S X H C A G T S I M Y Q P A B O T J L A
Q H F J T J X E C I U J R O I S O B W O
U H O N E W I G D P F D B A S N B L I Y
E S G L R D V H T O R F E J I U D H F N
L N O I T A S N E D N O C L B N A R O P
C R A X K S S A R O M C Q T U V F Q O R
H S A L P S K Q D X Z M W T J G W A E P
X S U P V S A D E A Q F K V B Y E H L Y
R P G M M C F T W Y O U N H G Q T L P L
M O D A P O D C U A A D S U U A J P N H
A R G W P T I J M R X R X D E T S Q E N
W D L S J C D B Y M A K C W R D M B M L
C P S F S H I U H M I T T L V I U N I O
F A V G P M U G E X C E I F O R Z M L J
Q S G L I I L J Y V W X D O R U H Z S W
V N Z C R S F O I Y A R P S N G D K L M
Y J V J D T Y S D X I P O K B W L M X E
```

BUBBLE
CLOUD
CONDENSATION
DELUGE
DEW
DRIP
DRIZZLE
DROP
FEN
FLOOD

FLUID
FOAM
FOG
FROTH
JUICE
MARSH
MIST
MORASS
MUD
RAINDROP
RAINFALL

SAP
SATURATION
SCOTCH MIST
SLIME
SOP
SPLASH
SPRAY
SQUELCH
SWAMP
WATER
WET WEATHER

13. NOT BELONGING

AGAINST
ALIEN
ALOOF
ANTITHESIS
ANTONYM
CONFLICTING
CONTRARY
CONTRASTED
COUNTER
CUT OFF
DETACHED
DIFFERENT
DISPARATE
DISSIMILAR
DISTINCTIVE
EXTRANEOUS
EXTRINSIC
FOREIGN
INCIDENTAL
INDEPENDENT
INSULAR
IRRELEVANT
ISOLATED
OBJECTIVE
OPPOSED
OPPOSITE
OUT OF PLACE
REMOTE
REVERSE
UNCONCERNED
UNCONNECTED
VARIATION

```
N E E V I T C N I T S I D T
G T O I R G G Z O E O H N H
I I O N E J I K S P C E S R
E S I S M R M R P I R P K D
R O X U O H E O S E M X E I
O P P L T V S N F Y I T L N
F P A A E E I F N N S A A D
U O S R D R I O J A B N T E
D N Z U T D T E R V D T N P
E C C X O N W T S G T I E E
T E E O A E N O W T N T D N
A A T R N O N P W E F H I D
C I L A C C U A I W E E C E
H S K O R A E L R C W S N N
E O H Y O A A R A T Q I I T
D L E K K F P L N M X S V C
R A J E U Z P S O E W E N C
A T D V C F Q G I T D Z O I
L E K I O O R C M D P W I T
I D E T C E N N O C N U T N
M U U C I W G T H U B S A A
I O D E J A J Q R B Q T I V
S C Q J A X E R W A D R R E
S U J B M K C V E X R I A L
I T B O N Q I X F T M Y V E
D O G N I T C I L F N O C R
F F U Y W V E X R T Q U C R
V F T S N I A G A M Z C O I
H I D J I J J N M E N W F C
```

15

14. VERY THIN

```
M G O E K R L R P R W V E I O
G N I R E P A T E E E K Y Y B
S F I H S Q D H N D A Y N L F
W L H O K Z K I H L N O A I I
I D I Z I L F N F N B E X L H
L R I P N O T E L E K S L E I
L U B P N W R Z C Y F C K S Y
O Q K L Y B V V W R I A S G S
W F F A E L D C T E R A V H E
Y K I I J N Q I L F E J A H P
V Q R O B F A T M A T V X T K
K C E N P R N R L W I X L E H
H Z P R R U O A R N I T E G Y
S J A I A D L U G O J U A M O
E B P G Y C V E S V W G N C N
```

BONY
FIBROUS
FINE
FLAKE
GAUNT
LAYER
LEAF
LEAN
NARROW
NECK
PAPER
RAKE
SHAVING
SKELETON
SKINNY
SLENDER
SLIP
TAPERING
WAFER
WILLOWY

15. BELOW THE WAIST

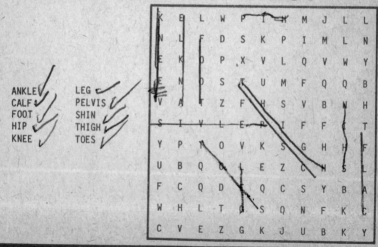

ANKLE
CALF
FOOT
HIP
KNEE
LEG
PELVIS
SHIN
THIGH
TOES

```
K E L W P I H M J L L
N L F D S K P I M L N
E K D P X V L Q V W Y
E N D S T U M F Q Q B
V A Z F H S V B N H
S I V L E P I F F T
Y P T O V K S G H H F
U B Q O L E Z C H S L
F C Q D E Q C S Y B A
W H L T G S Q N F K C
C V E Z G K J U B K Y
```

```
E N E L I V L R A S Y N N N
M B X L U E Y C T N O S L A
W O H Y J R E A A D N A L L
D A Q L R T R T E V I U I V
J R R U A L O R J O A V W E
E B T T E B X F F E C E T I
H C E N S T A N U N O E T D
L J E C O A T U I E R D T N
R G O O X S L E G L A J E W
F M X R W P O A A I M E R B
J M M D H G E R A S I T Y L
S Z T U R T N S L T Z T L E
D W L R B H E O U E Q E E X
M O S O G R H K L Q N Y N E
A F O Y I V T X I I X E E M
M Z H C B G Y P P O O C J N
Z U H H R H L I V L A N A N
X E P I E J O X R M J I W K
W A L S O S P C A M L W L D
O O L I O E S L K O A C B N
N H A F E D L I N S O I Y T
I H T O L C L I A S J L C J
B E L A D R Y D F N O L I A
D L A M C A R D T N N A R V
E X N F O A N O E C O T B R
J M T R L L C U G P I E M I
Y W R U W I N J L A E M A L
U Z O N R U J U H O C R C X
R F N T I P N T M K N S C G
```

ACETATE
ALASTRA
ANTRON
AVRIL
BOTANY
CAMBRIC
CORDUROY
CREPE
DANULON
DOSPUM
EVLAN
FLAX
FOULARD
GRILON
HESSIAN
LLAMA
MAROCAIN
METALLIC
MOQUETTE
NAILON
NYLON
ORLENE
POLYTHENE
REDON
SAILCLOTH
SERICHE
SILENE
STARLENE
TERYLENE
TRICOT
TWILL
VILENE
WINCEYETTE

1. She's found in Wonderland
2. Fourth month
3. Precious stone
4. Christmas song
5. Add a wheel for a firework
6. Daybreak
7. Royal name
8. Jane Austen novel
9. First woman
10. She came from Troy
11. Flag – – – – ?
12. Summer month
13. Add an 'n' for a male name
14. Oyster's jewel
15. Peter Pan's friend

1. A LICE
2. A BELL _eryc_
3. B ____
4. C ____
5. C ATHERINE
6. D AWN
7. E lizabeth
8. E MMA
9. E VE
10. H ELEN
11. I ALS
12. J UNE
13. N ____
14. P EARL
15. W ENDY

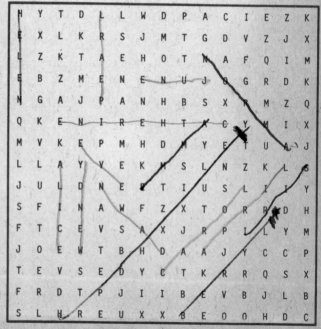

17. GIRLS' NAMES

18. ARCHITECTURAL TERMS

ALCOVE
ARCADE
ARCHITRAVE
BALCONY
BAY
BUNGALOW
BUTTRESS
CASEMENT
CLERESTORY
COLUMN
DORMER

EAVES
FACADE
FANLIGHT
FLAT
FOUNDATION
GABLE
GRILLE
INGLENOOK
JOIST
LINTEL
LOGGIA

MAISONETTE
MEWS
MEZZANINE
MULLION
OPEN PLAN
ORIEL
PILASTER
ROSE WINDOW
STOREY
TOWER
TURRET

```
Z E G J A E D A C R A Q B N L B E K I O
K D M Y A I G G O L E A A M R E E N B X
V G M F A T A L F D L L F U E T T T Y C
V O E C L B H W A C P L U V T W M N M L
K C Z O Q Y C C O N Q V E E S G S S I T
I T Z L C X A N E D B V N L A I D J H L
F Y A U A F Y P A W N O F A L P W G W F
E R N M S C O M O R S I R H I I I S O G
L O I N E Y W L J I E C W M P L R U K W
B T N O M Z A N A Z H S C E N T N G O Y
A S E U E G U M K I S V X A S D D G O E
G E Y V N H T A T Z D R F H A O H B N R
Q R U U T E L R S S E R T T U B R O E O
F E B O R C A T A W E H I S A S I L L T
J L K R O V S I O M U O E E P L E K G S
A C U V E I L T R G N V E A L I B Y N B
S T E E O R F O E D A W N U R G D D I P
W I R J P R D O C E R I M O I V L B L M
```

19. GOVERNMENT

```
D R A S N A H N P G T S V C G
E E K Y L B W X B P N V T N U
B C T R M O Z J M T O V C Q J
A C U O R I Z A E N I H A D C
T K A C V B N G O L T O C Q O
I U N B C U D I O Q C U O R M
R D R U I U W B S E E S M E M
L F I D B N B W T T L E M K I
T I S V V Y E I X P E P O A T
L R T T I H Q T X S M R N E T
N O I T I S O P P O X Y S P E
F U R Z J A I E R E F T B S E
W W D D Z X E O S K D R I V Z
O Y V K S C L R N Y Y A L I T
D U Z Z H W B M Y V A P L N I
```

ACT
BILL
BUDGET
CABINET
COMMITTEE
COMMONS
CROWN
DIVISION
ELECTION
HANSARD
HOUSE
LOBBY
LORDS
MINISTER
OPPOSITION
PARTY
SPEAKER
SPEECH
VOTE

20. NOT IMPORTANT

FRIVOLOUS ✓
LIGHT-WEIGHT ✓
MINOR ✓
NEGLIGIBLE ✓
PALTRY ✓
PETTY ✓
SLIGHT ✓
SMALL ✓
TRIFLING ✓
WEAK ✓

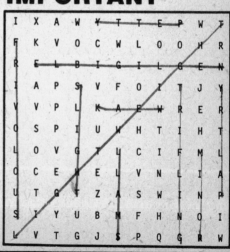

Puzzle submitted by reader Mr. T. Lambert, Devizes, Wilts

21. UTENSILS

ASHET
BEAKER
CASSEROLE
CAULDRON
CRUCIBLE
CUP
DIPPER
DISH
FISH SLICE
FLASK
FRYING PAN

GOBLET
JUG
LADLE
MUG
PAN
PLATE
PLATTER
POT
SALVER
SCOOP
SKILLET

SOUP DISH
SPATULA
SPOON
TANKARD
TOBY
TRAY
TRENCHER
TUREEN
VESSEL
WHISK
WOODEN SPOON

```
P O I N A P S T S V P W C L P O O C S H
R E T T A L P P B E C X X U E G T C Q H B
A Z M S A D S W F L G A P S D N U K E X
W P E O L J I K I S L U O S J O V O L Y
H S D U W W P S S V W I M E M O R G B K
V I U P F F J R H A I H K V V P R H I J
R L T D R R F Z S R L H I S K S U E C A
T J J I Y L R A L G E F Q S T N S Z U E
A L D S I F E T I K S E H A K E C Q R N
L L T H N N H Z C V T E N U D D P Y C N
U A E B G O C K E A M K L I X O H Y I O
T D L J P R N N L Z A P P O J O G T S O
A L B O A D E P E R B P W T R W T A S P
P E O Y N L R I D E E E E F B E L N O S
S T G R P U T T T R R H A I M V S T B L
K L B O Q A B O Y U S U M K E T R S X J
C P T I C C B B P A Z F T R E A R P A P
Y M M E J Y J A V D T G U J Y R J W F C
```

ABRASIVE
ABSORBENT
ACID
ACTION
ADDICTED
ADJACENT
ALCOHOLIC
ALLERGIC
BINDING
CASH
COMPETITIVE
COMPLIANCE
CREATIVE
CYCLIC
DERIVATIVE
ELECTRICAL
EXEMPT
FEDERAL
FULFILLMENT
HAZARDOUS
INFECTIOUS
IRRITATING
LETHAL
MALLEABLE
MUSICAL
ORTHODOX
POROUS
RACIAL
SALINE
STAINING
TAXABLE
VINTAGE
VOCAL

```
H V W E V I S A R B A I G A
C V B V D E T C I D D A M B
G U V W T N E B R O S B A Q
G C T P H Q C I G R E L L A
A Z P W P S P O P C F X H E
T H M P E K A S Q U H L L M
O G E T P M A C L D A B U Y
H P X J G L V F T C A S E O
X X E C I N I N O E I V C X
H C K N K L E V L C I O H C
F X E K L C O L A T T A P C
J Z N M A T A L I S Z O O H
Q X E J J M A T S A R M X V
Y N D L B A E R R O P F R N
T A T J A P U D U L B T D X
D S U G M I O S I F E E C I
I I T O N U C A N G V S R O
N J C A S I N A A N I F E X
F N L A I C T M R I T Q A O
E T L O E N Q A E D A L T D
C N A A R Z I G T N V E I L
T C A X C T F N Y I I A V E
I I H C A I H E G B R G E T
O L L F T B R O D H E R X H
U C T U Y I L T D E D A I A
S Y G E H I O E C O R H M L
T C D U N V P N F E X A G V
C I L O H O C L A M L L L P
M I N E G A T N I V E E Q C
```

23. GUNS AND RIFLES

```
S V K R O E V N O K A Y Y R Y
N Y B N O S P M O H T G E E D
T O P K I S A V S R R H R F L
L M S Z I T S T I E T J R W E
V Y Z S T J I C T L E Z I L I
X U R E E R M S A R B A R R F
D L R E L W E W E E H R E Q N
Z E U I S H H H E B H M E H E
B V N G C S C T R K I A P N E
S G R N E I I O I N E L U W E
T M I E L R W E G M X I Y E L
E W E N S N C T M M S T E B F
N B N G I U O O T H J E E L G
H A P N G N A B L G C Z I E U
M S G D V K M M B T I S Q Y T
```

ARMALITE
BERETTA
BREN
BROWNING
COLT
LEE ENFIELD
LUGER
MANNLICHER
MAUSER
REMINGTON
ROSS
SCHMEISSER
SMITH WESSON
STEN
STIRLING
THOMPSON
UZZI
WALTHER
WEBLEY
WINCHESTER

24. ON THE MOOR

BRACKEN
BROOK
CAIRN
COMPASS
FERN
MIST
PEAT
PONY
STONES
VIEW

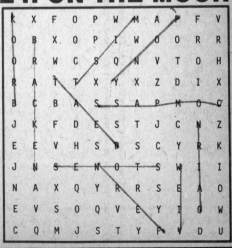

```
K X F O P W M A P F V
O B X O P I W O O R R
O R W G S Q N V T O H
R A T T X Y X Z D I X
B C B A S S A P M O C
J K F D E S T J C N Z
E E V H S B S C Y R K
J N S E N O T S W I I
N A X Q Y R R S E A O
E V S O Q V E Y I G W
C Q M J S T Y F V D U
```

25. A YES-MAN

ACCEDE
ACCEPT
ACCORD
ACQUIESCE
ADMIT
AFFIRM
AGREE
APPROVE
ASSENT
ASSUREDLY
AVOW
CARRIED
CONCEDE
CONCUR
CONFESS

CONSENT
COUNTERSIGN
DEFER
DITTO
ECHO
ENDORSE
EXACTLY
GIVE
NOD
ONE VOICE
PLEAD GUILTY
RATIFY
SECOND
WILLING
YIELD

```
O Y L D E R U S S A T T Q S X I O Y O S
Y S M M Y G X E O S I Q S D M E D M E I
I F X I T R C V D M E E R R K X A S E B
M O E Z N Q A N D E F C I G D A N U U O
I L N X E P I A I N C F O N M C K W O X
D J D J S B Q C O L F C H N L T D N N X
S N O L N J E C H A X L A D D L O P E Y
T J R X O N E C S E I U Q C A Y N Z V T
N Q S N C G D G N A K J R T O W O D O L
E U E T Y I R P U W E A A G H N R D I I
S F N H E S T A G E T P N A L O C O C U
S D Q E E R C E N I P I C J C G D U E G
A J C O Z E B I F R L O Y C X C I U R D
O H H Z R T G Y O L N L A U U A E V O A
O R H E X N C V I C G G L N I V D P E E
F H F J X U E W E D R S D A U O J I T L
X E P P I O N D D E I R R A C W F I C P
D P J G W C E V E P O T T I D S A H P T
```

1. Superintends the Navy
2. Towards the stern
3. In the middle of the vessel
4. Mooring
5. Commander, chief
6. Where maps are kept
7. Adorn
8. Go ashore
9. Slice this
10. Pilot
11. Over the side
12. To look through when under water
13. Travels on water
14. Destruction of a vessel
15. Rise and fall of the sea

1. A ADMIRALTY
2. A - -
3. A ----- - - -
4. A -----
5. C CAPTAIN
6. C - - - - - - - - - -
7. D - - - -
8. D - - - - - - - - -
9. M - - - - - - - - -
10. N - - - - - - - - -
11. O - - - - - - - - -
12. P - - - - - - - - -
13. S - - - - -
14. S - - - - - - - - -
15. T - - -

A DOUBLE PUZZLE
Solve the clues to find the list of words hidden in the puzzle. The answers are in alphabetical order.

```
C Q O Y N N I A T P A C V J H
R U T G E V K M J L H Q Q H P
V R O T A G I V A N J W O H Z
H Z N S A Q E P O C S I R E P
A W Q F H E S U O H T R A H C
M W X W Z I J W O G A Y K J J
I A B R K I P V L N F B B J A
D Q I V R G E W C W T O G F D
S P U N A R F H R N Y I X L M
H V V L B G O Y T E N V V K I
I A J O M R E C S D C Z R C R
P T A M E H A N S L Y K I E A
S R D D S Q T C D L I A G D L
D M I U I J C J E N Q A O T T
W T H L D A R N Z L H I S D Y
```

26. NAUTICAL

27. PUZZLE

```
X F Y O K V X P M U T S L T N
E M Z T E C M B E S U F N O C
D C Y X Q Y I P J U V Y U V N
U T C F S G L T D Y J D X J O
L U Q T E A D B S C C E G X N
E Z I W B P E N L M O L E X P
E F R P R D U R U S U L G E L
Y T K Y E X E T J O P D L P U
Q D A V D D N F S R F F D M S
O X I R L X B U E X F B Y L A
H L E I T E O P Y A C M M M E
X K W L M S B A B Q I P A U I
N E C U D P U E N X B Z J R D
B C S O K D K R U W E M K L T
Z E V N S J A P F U Y S T G X
```

ADDLE
AMAZE
BAFFLE
BEDEVIL
BEMUSE
BEWILDER
CONFUSE
DUMBFOUND
ELUDE
FRUSTRATE
MIX-UP
MUDDLE
MYSTIFY
NONPLUS
PERPLEX
STICK
STUMP
STUPEFY

28. GO THAT WAY

BACKWARDS
DEPART
DISAPPEAR
DOWN
FORWARD
LEAVE
SCRAM
SIDEWAYS
SOARING
UPWARDS

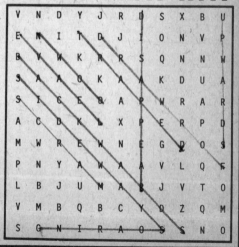

```
V N D Y J R D S X B U
E N I T D J I O N V P
B Y W K R R S Q N N W
S A A O K A A K D U A
S I G E B A P W R A R
A C D K L X P E R P D
M W R E W N E G D O S
P N Y A W A A V L Q F
L B J U M A B J V T O
V M B Q B C Y D Z Q M
S G N I R A O S S N O
```

26

29. WOODLAND AND HILL BIRDS

BLACK GROUSE
BULLFINCH
CAPERCAILLIE
CHOUGH
COAL TIT
CROW
CUCKOO

DOTTEREL
FALCON
FIELDFARE
FLYCATCHER
GOLDCREST
GOLDEN EAGLE
GOSHAWK

HOBBY
JAY
MERLIN
NUTCRACKER
NUTHATCH
PTARMIGAN
RAVEN

REDPOLL
REDWING
STORK
THRUSH
VULTURE
WATER PIPIT
WOOD PIGEON
WOODCOCK
WOODLARK
WREN

Puzzle submitted by reader Mrs. A. Mannering, Worthing, Sussex

```
I W R K P Y C Q V O N B O J P V Q D H U
H K E C U W S D O K L K A M W Q E L S V
S R D O N J O K Y A X Y U X U S I A U K
W O P C J V C O C N I L R E M L A N R O
C T O D W U B K D E R A F D L E I F H Q
D S L O C Y G M C P Z K N K J I O B T O
T P L O V R G H C N I F L L U B I B R G
P I H W O U J E C W I G V A P W Q A O N
P O P U E I L L I A C R E P A C V L U R
T L S I O Z Y T N T Q P D O H E D T E L
A E E J P B T E U T S H J H N E C H L W
R K S R B R R E I R C E G C N R C P O G
M N W O E W E T Y T E U R E A T R O S N
I O H A K T L T A T O F A C A Y D J K I
G C T N H A T H A H O G K C D L J W W W
A L V U O S T O C W L E Y H A L O M F D
N A K C P U O Q D E R L C R B R O S D E
G F P J N T T G K M F U K C C Z F G Y R
```

27

30. TIME

```
Y T P G X K R J A W Y A D S M
G X B R R A E Y M C M E U E C
U I Y E R O T A U Q E A D W R
A X M E D Y I C O O M U A P R
L P K N F A M A E Y R T S M U
J K H W G G C L I A C E K I X
L Q C I S Q X E T H C E S N Y
C D I C T C G I D O E H C U E
R U O H V N O Y N W U R I T O
B V I I T N O D R Y S R P E R
L T E M R T Z S D U X E O Z S
E F L O L E U C A X T K R W H
E J L N Z U P D T E R N T I G
P O E T E E R G E D S D E O R
R S B H N M T C U C G B C C U
```

BELL
BLEEP
CENTURY
DATE
DAY
DECADE
DEGREE
DURATION
EQUATOR
GREENWICH
HOUR
MINUTE
MONTH
PERIOD
SEASON
SECOND
TROPICS
WATCH
WEEK
YEAR

31. LIVE HERE

BARRACKS
CASTLE
COTTAGE
FLAT
HOTEL
HOUSE
IGLOO
LODGE
SHACK
VILLA

```
E Z P S P I X J E U O
S P C K K G V G W Q O
U O A X A C D I G D L
O H S I Y O A V L C G
H K T U L H R R O L I
T P L B O F A T R O A
I O E T L L T J S A C
P F E A O A W H H O B
S L T E G T A R W X A
X M Y E H C A A C I J
I E K B K Q L A M H Q
```

28

32. WELL-HEELED OR DOWN AT HEEL?

```
B B A F F O L L E W H Y T Q
V L X K T G T P U R K N A B
M Q N O D A V L X M N Q C U
Y W S N O I S S E S S O P M
X T W N I P W M X R O O P I
E F H I M N C I Z N B N Y S
E S D Y M E S V T W L H F F
R S P H W P S O P H T D L O
I E O T E C E X L R O G M R
A L V L L G C C O V B U O T
N I E A L B N W U T E V T U
O N R E T C T I H N E N P N
I N T W O I L R T R I R T E
L E Y T D P I C D N O O C Y
I P H E O V U R O P A R U N
I Q R C I N A L E P E W V S
M C N N I F E R E P I B T U
S Y G T T R T E U N B O F Z
Y X S G C Y B A D E T K U A
G C E U N M P O M Y W V D S
Z Y Z T O I O U C A R E M I
M F T U A R H N O F S V Y N
A T N D U N E S E T J L I D
G Z E M U I U P I Y B Z B I
N E U N C B U T S R E L G G
A R L I C I U P R O U D K E
T R F C I T U N Z O R O E N
E E F X E W T M Z O F P L T
D W A Y T U D E K O R B C F
```

AFFLUENT
BANKRUPT
BROKE
COPIOUS
CREDITWORTHY
DEFICIENCY
DESTITUTE
FLOURISHING
FORTUNATE
IMPECUNIOUS
INDIGENT
INSOLVENT
MAGNATE
MILLIONAIRE
MISFORTUNE
MONEYED
NEEDY
OPULENT
OVERDRAFT
PAUPER
PENNILESS
POOR
POSSESSIONS
POVERTY
PROPERTY
PROSPEROUS
RICH
THRIVING
WANTING
WEALTHY
WELL-OFF
WELL-TO-DO
WITHOUT

33. TEA

AFTERNOON
BEVERAGE
BLEND
BOILING WATER
BREW
BREWING
CADDY
CAFFEINE
CAMOMILE
CHINA
CREAM

CUP
DANDELION
DISPENSER
EARLY MORNING
GREEN TEA
HIGH TEA
INDIAN
INFUSE
INFUSION
LEMON
SAMOVAR

STRAINER
TASTER
TEA BAG
TEA CEREMONY
TEA CHEST
TEA COSY
TEA LEAVES
TEA PLANT
TEAPOT
TEAPOT STAND
URN

```
G N S G O P U H S M Y N F L F P G F D Y
N N O R O O R O V V S I O N E N A I M S
V O T I R E N I A R T S C O I M D V T O
E C I O S E L I M O M A C N N G O E L C
A S R L P U L O J H D X R B N R A N Q A
H O U E E A F Y T D I O R I R P E T E E
T I R F A D E N Y V M E W E O H A T H T
E Y C E N M N T I Y W E T T I S D P F R
A H N A T I F A L L R A S G A U I E V A
L G L O F S W R D B W T H M E M S A O I
E S R C M F A K K G A T O T G C P T B D
A F T E Q E E T N N E V I E A H E E D J
V B N R E S R I D A A Q G A R I N A G N
E A T A B N L E N R L W F P E N S C A H
S M N L I I T S C E O E X L V A E H B C
U N E M O D M E Y A Y C P A E Q R E A U
C N L B W Y N G A U E U H N R R D S E P
D G M R P W A I X C P T H T M H W T T C
```

30

34. TO ASSUME

ASCERTAIN
BE OF THE OPINION
COLLECT
CONCLUDE
CONJECTURE
DARE SAY
DEDUCE

DEEM
ESTIMATE
FANCY
FIND
GATHER
GET THE IDEA
GUESS

IMAGINE
IMPLY
INFER
JUDGE AT RANDOM
PREDICATE
PRESUME
PRESUPPOSE

REGARD
SPECULATE
SUPPOSE
SURMISE
SUSPECT
THEORIZE
UNDERSTAND

```
T I Y T Q N E K K E S M E C V N A Z W U
X M S E Z E I N B J S Q S L O S M E Q B
J E S Z M M Y A G M M O J A I L S S E K
E E E I O U C G T C C K P A V I L O V I
R D U R D S N E J R S O G P M V F E N X
U O G O N E A T P R E V N R U T K F C E
T L O E A R F T J T I C U C H S E Z G T
C E S H R P C H N O C S S E L R E T D P
E X J T T U M E J E Y E O A R U N R B R
J Q S A A N U I Y S C P P E V D D S P E
N Q S P E D W D D E I U G S V Y P E D D
O F G R G E N E F N P A D R U E H X T I
C K D Q D R Y A I J R N E E C S X W E C
Y Z Q J U S U O S D I H F U D M O O F A
V G C G J T N B F F T T L Z U N J N Q T
Y A S E R A D P C A H A E T A M I T S E
I A A F U N A O G F T E N I G A M I D H
Y L P M I D M X Z E Z N D E S O P P U S
```

1. Awaken
2. Stir up feelings
3. Shoot
4. Strength
5. Drive on
6. Rouse
7. Set on fire
8. Start burning
9. Provide an inducement
10. Poke with pointed object
11. Anger
12. Spiked wheel on rider's shoe
13. Turn with a spoon
14. Torment
15. Ask earnestly

1. A ROUSE
2. E - - - -
3. F IRE
4. F ORCE
5. G - - -
6. I - - - - -
7. I GNITE
8. K - - - - -
9. M - - - - - - -
10. P - - -
11. P - - - - - -
12. S - - -
13. S - - -
14. T - - - - - - -
15. U - - - - - - -

35. STIMULATE

A DOUBLE PUZZLE
Solve the clues to find the
list of words hidden in the
puzzle. The answers are
in alphabetical order.

Z	H	P	J	M	Z	L	F	N	C	L	D	Y	E	T
A	A	T	U	J	O	Y	C	A	L	A	N	T	U	E
L	G	G	P	C	T	T	I	W	O	K	I	E	C	Q
D	E	W	D	R	F	R	I	G	G	C	J	Z	E	V
M	S	V	S	I	O	I	F	V	N	C	D	I	S	V
F	R	H	R	V	N	V	I	I	A	Q	X	L	U	U
G	U	E	G	F	C	W	O	E	U	T	G	A	O	J
N	P	A	L	F	P	T	A	K	G	M	E	T	R	W
E	S	A	S	R	N	A	H	J	E	R	E	N	A	L
K	M	V	O	H	K	U	O	E	K	N	U	A	B	L
E	E	D	X	U	I	W	L	T	C	L	O	T	Q	U
A	C	R	U	T	Y	D	D	I	X	Q	U	R	E	H
L	R	H	A	W	N	S	G	C	T	V	I	G	U	F
H	O	G	L	I	L	Y	P	X	W	T	U	G	W	V
A	F	Y	K	L	C	N	D	E	S	G	S	M	Y	X

36. FALSE.....

```
Z V F Y G G T D N U W C K S C
N R L V M E Z V W S J M W D P
K E C L N O L Y D O O M N N E
Y T Z E A O N B S D R O K E H
M H V J C W I O E M S D K I S
O G P C W E A S C E I R S R G
T U I F R D T S S E P A K F C
T A R U D Y S G M E H B L Y S
O L G R V S O M N H R W G C W
B I E Z V U E Q S I J P G T M
F S Y T I T N E D I L N M R I
S S R H B J R G S T X I A I R
N O I T A M R O F N I L E O S
L U U R B P Q M R W A J O C G
V M D V L K G M C E W D R X D
```

ADDRESS
ALARM
BOTTOM
CEILING
CLAIMS
DOOR
ECONOMY
FIGURE
FRIENDS
HEM
IDENTITY
IMPRESSION
INFORMATION
LAUGHTER
LEG
MODESTY
NOSE
WALL
WORDS

37. NOT SO CLEAN

CHALK ✓
DIRT ✓
EARTH ✓
FILTH ✓
MESS ✓
MOULD ✓
MUD ✓
POWDER ✓
SAND ✓
SLUDGE ✓
SOOT ✓

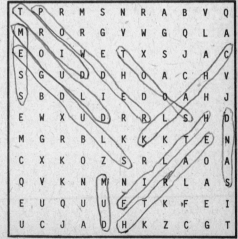

```
T P R M S N R A B V Q
M R O R G V W G Q L A
E O I W E T X S J A C
S G U D D H O A C H V
S B D L I E D O A H J
E W X U D R R L S H D
M G R B L K K K T E N
C X K O Z S R L A O A
Q V K N M N I R L A S
E U Q U U F T K F E I
U C J A D H K Z C G T
```

38. YES, MASTER!

Puzzle submitted by reader Miss D. Frost, Northfield, Birmingham

		NABOB
ADMIRAL	EMPEROR	POLICEMAN
CAPTAIN	GENERAL	PREFECT
CHANCELLOR	GOVERNOR	PRESIDENT
CHIEF	HEADMASTER	QUEEN
COMMANDER	KING	REGENT
CONSUL	LAIRD	RULER
CZAR	LAMA	SHAH
DESPOT	LORD	SHEIK
DICTATOR	MAJOR	SKIPPER
DIRECTOR	MIKADO	SOVEREIGN
EMIR	MOGUL	TYRANT

```
E P S G S H C Y D O J I W T O P S E D Q
T P R O M R E O S Q R O N R E V O G D J
X P I E V O G A N B I C F E A U G J N S
H M T L F E D N D S C L A R I M D A A L
F R X C N E R A O M U O A W J X F A A W
R A O E R N C E K Y A L M D F A E M K T
R O R J P O A T I I P S C M P G A M N P
U A R E A L L M R G M H T R A I L E I F
L T D E Q M A L E Z N U E E I N E R E R
E N I A P A P I E C D S G W R U D I J X
R E C K W M O F R C I R O C Q S H E R L
O G T P H Y E S C D N L R I T C H O R S
X E A W T B G A E C Y A O L A Y T A K L
I R T G V N P N N L Z K H P U C R I H A
U H O D I T T O V A F A D C E G P A O E
A B R K A R O G N I B R R R M P O D N R
U N Z I K I L H S C O O I M E E X M J T
V D N R Q L U W I L X D B R G W B D B D
```

34

```
S U M K G Z V H A C F F V S R R J T B E
R C L E H W Y S P N I K I N E D Y V B X
H T Z U N O C N A R F U U M F Y M R Y M
H P K P X Z W L T R T H I M L C A Y A A
D O A S C A I R O G F H N H O L C E D S
V E U G V W O E G V Y L J S W A A R A T
L M G E E F U F S B L L R E P R R E N K
U S L A U T U P M K X A E V R K T W N B
D L P A U L K O X O V H D O M L H O E E
E G E E L L R R N U T S N O Y O U H R C
N B R E I C L O J O R R A E J A R N R K
D Y R E R D D E U E A A X N P O M E U L
O I L E L R E C D H X M E D O A T S F W
R A B A O L H L T L B U L D U T T I I I
F A Q G D O A O H U W J A N Y A T E C L
F S L B N H B H O A H Z S W P A R A F S
D M C D R D N A G Y E W Y Y I O L I P O
O T U F O H M E L N T Z D Y G D L C G N
```

Puzzle submitted by reader Mrs. L. Barker, Newquay, Cornwall

39. GENERALS

ABERCROMBY			PATTON
ALEXANDER	DENIKIN	HIMER	SPEIDEL
BEAUFORT	EISENHOWER	ISMAY	TOJO
BECK	FRANCO	LUDENDORFF	TOUCHON
BOTHA	FULLER	MACARTHUR	WAVELL
CLARK	GIRAUD	MARSHALL	WEYGAND
CLAY	GORDON	MAST	WILSON
DANNER	HALDER	MENZIES	WOLFE
DE GAULLE	HALLER	PAGET	ZHUKOV

41. RED

```
P C C V L N N H G G G J S D M
R T H B L Z O A N Z X A A E F
O O J Q S B O Y L E N R N F Y
S T R Q K A R S A G S I B Z U
E M L U B D A T U U L J F Y J
A H S U B D M I O L L Y C B W
T Y A O D I N E A R R S Y U H
E D C D J E C R Z R S A H R T
W C Q D O A O U E U B J X A E
J T R U N C X H N I W A U O R
V E S I E C C M B D B B Z O A
P S V X M G Z V Q P U D U P L
W S O L L S U C C R G E O B C
F U R W Y A O O N V U K Y W J
R R M B S M L N R X L G S J P
```

AUBURN
BAY
CHERRY
CLARET
CORALLINE
CRIMSON
MAROON
ROSEATE
ROUGE
RUBICUND
RUBY
RUSSET
SANGUINEOUS
VINACEOUS

42. IN THE TIN

BEANS ✓
CUSTARD ✓
HAM ✓
PEARS ✓
PEAS ✓
PLUMS ✓
PRUNES ✓
RHUBARB ✓
RICE ✓
TUNA ✓

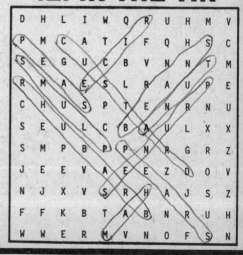

```
I V E T I P S S R K G K C U L E S X V A
H T N O L I I E B R E N H T C R S Z N S
A U U U N E G C X C W C I N N A P V M Y
O R T C Z N S Y N W O M E W O N R S H M
W N K H A E M A T N E I O P Z G O U D P
O L X D A O L Y D I T T R C W E P C U A
R D T S N A O I D A S I H B W M O O W T
K T O E B F T A P A N O A V R B R F H H
B N Y C A I A U E T T S I F Y P T R X Y
I R O P O G L S G A N E N R O T I J U F
E M E N Z I M S H B R S K C U K O S H K
S D M A N E T A O I S S K T X C N O N X
I O S E C O C U R E O E H B X K B R S G
T O H N C H N A N E T N D O R E N T Z P
C R A K O D D D L P D N S A T E T S I I
A S P X S Z N A E P A R A V T G A N E T
R A E G M I F T Q H C C O Q F V R T O Y
P X F C K P S G V E L B U O R T G W H C
```

43. OUT OF.....

BALANCE
BOUNDS
BREATH
CONDITION
CONTEXT
CURIOSITY
DANGER
DATE
DOORS
EARSHOT
FASHION

FOCUS
GEAR
HAND
KINDNESS
LINE
LUCK
MONEY
ORDER
PATIENCE
PITY

PLACE
POCKET
PRACTISE
PRINT
PROPORTION
RANGE
REACH
SEASON
SHAPE
SORTS

SPITE
STEP
STOCK
SYMPATHY
TIME
TOUCH
TOWN
TROUBLE
TUNE
TURN
WORK

44. POMP AND CIRCUMSTANCE

GRAND
GREATNESS
BOMBASTIC
CAUSE
INCIDENT
CEREMONY
INFLATED
CONDITION
LOFTY
DETAIL
MAGNIFICENCE
DISPLAY
MANNER
EFFECT
OCCASION
EVENT
OCCURRENCE
FACT
OSTENTATIOUS
FEATURE
PARTICULAR
FUSS
PLACE
GORGEOUS
POINT

POSITION
SHOWY
SITUATION
SPECIALTY
SPLENDOUR
STATELY
SUMPTUOUS
SURROUNDING
TIME
TOPIC
TURGID
WELFARE

Puzzle submitted by reader Mrs. P. MacLachlan, Dumfries, Scotland

```
R  M  M  G  F  G  N  I  D  N  U  O  R  R  U  S  J  F  J  I
D  E  Y  U  M  E  U  I  L  E  T  Q  G  N  E  R  C  W  D  N
Q  C  S  S  L  F  V  R  E  T  L  U  S  G  M  E  E  E  F
R  S  S  U  I  A  E  U  K  N  I  T  O  H  T  C  I  G  T  L
U  Z  A  U  C  T  T  C  E  Y  U  R  S  F  N  A  G  T  A  A
O  C  S  T  O  A  U  D  N  R  N  S  W  E  T  R  T  B  I  T
D  N  I  U  E  I  I  A  G  E  E  O  R  E  A  Y  Q  E  L  E
N  O  G  F  O  C  T  I  T  N  C  R  M  N  L  B  G  R  L  D
E  I  O  O  N  U  D  A  T  I  U  I  D  E  O  F  A  G  G  Y
L  T  R  I  C  K  T  A  T  C  O  S  F  M  R  L  A  N  Y  X
P  I  G  W  H  C  E  P  C  N  P  N  B  I  U  E  R  R  D  P
S  D  E  O  G  R  A  O  M  E  E  A  T  C  N  E  C  C  E  O
Y  N  O  P  G  E  F  S  C  U  S  T  I  N  N  G  I  L  U  S
X  O  U  N  L  T  F  I  I  T  S  T  S  N  I  P  A  K  I  I
L  C  S  M  N  A  A  F  I  O  R  K  A  O  O  O  A  M  D  T
B  H  T  E  N  L  C  C  E  A  N  M  R  T  M  C  P  X  T  I
Q  K  V  J  T  D  F  E  P  C  X  Y  A  L  P  S  I  D  O  O
T  E  M  Y  W  O  H  S  R  C  T  J  G  W  Z  P  O  C  G  N
```

45. MUSICAL INSTRUMENTS

```
O N A I P V P Z N G R Q T B W M D W U P
P E C W H I E T U E Z I N A V A F C V Z
A R I I C N E I D O M M I L E N Z L H W
Q Y N C S P T R Y B Z H L A N D R G U C
G L O V M A O P R A T K O L O O E N R X
V L M U R C X E Z U O Q I A B L M A D P
O U R C E M L O M B K O V I M I I I Y O
Q T A R O N F U P H A E R K O N C R G S
S P H G O N I W A H F R L A R R L T U T
I G Q R Y N C R T T O L R E T X U E R H
A H G W O O M E U E E N A E L H D N D O
W A S H R O N G R O T N E G L E O O Y R
N Z P N N I F I V T B U I T E O D R Z N
R U E I R M A I X N I M L P U O R E N X
E T U A L O N A I P I N A F S P L G L Q
O M L B T E I F V P Z A T Z U I E A C
B C S C H G N O O S S A B V T A G P T N
O D R O H C I S P R A H T E X F C A E W
```

	HARMONICA	
BALALAIKA	HARMONIUM	PIPE
BARREL ORGAN	HARPSICHORD	POST HORN
BASSOON	HORN	RECORDER
CLARINET	HURDY-GURDY	SAXOPHONE
CONCERTINA	LUTE	SPINET
CORNET	LYRE	TAMBOURINE
DULCIMER	MANDOLIN	TIMBREL
EUPHONIUM	OBOE	TRIANGLE
FIFE	ORGAN	TROMBONE
FLAGEOLET	PIANO	TRUMPET
FLUTE	PIANOLA	UKELELE
GUITAR	PICCOLO	VIOLIN

46. GOOD FEELINGS

ACQUAINTANCE
AFFECTION
AMIABLE
AMITY
BEFRIEND
BENEVOLENT
BROTHERHOOD
CAMARADERIE
CARING
COMFORT
COMPANIONSHIP
CORDIALITY
DEVOTION
FAMILIAR
FEELING
FELLOWSHIP

FRATERNITY
GOODWILL
HAPPINESS
HARMONY
INTIMACY
KINDNESS
LASTING
LOYALTY
NEIGHBOURLY
PARTIALITY
PLEASURE
RELATION
SINCERITY
SYMPATHY
TRUST
WARMTH

```
O N W L X L I O E I R E D A R A M A C N
N K O A O R A E W X P A T S U R T B E U
Z D Y I R Y I T R O F M O C H E R I E Y
F M I T T M A F O Z F I V G J M G R T F
H F G Q I C T L Z O L A S T B H U I G P
P D O O H R E H T O R B G N B S L P . K M
W I L R O E E F K Y Y L E O A A I I Y E
Y D H A A D K C F B D E U E I H N H C F
T B N S S I W H N A L R L D S D L N R H
I E O H W T L I Z I L P R N N I A A A A
L N I A D O I I L Y S O O E N T T S N R
A E T P N P L N M L C I S T N E Y F O M
I V A P E I N L G A N S I I R M E G I O
T O L I I V C C E A F M A N P E Y N T N
R L E N R X F Q P F A U I A L U T I O Y
A E R E F D F M W C Q T T I L H I R V V
P N V S E F O Z Y C Y H N L S X M A E R
A T D S B C L A A S Y G M X D C A C D N
```

HARDER PUZZLE SECTION
47. SAILING SHIPS

WELCOME TO THE HARDER PUZZLE SECTION
The following puzzles are more difficult. Usually there are no lists to guide you. See how many words you can find and then check your list with ours at the back of the book. With some puzzles we have given you either a partial list or a clue as to how many words are to be found. We think you'll find these fun to do.

Climb up the RIGGING of our SCHOONER and check that the riding LIGHTS are working properly. The STAYSAIL must be set correctly to prevent YAWING, and then you can set your course by the POLARIS star. There are thirty-seven clues hidden in this puzzle.

```
U  B  M  T  T  A  L  S  N  N  I  L  B  U  X  N  K  L  W  G
L  R  P  S  R  S  T  Y  K  N  U  J  E  X  M  A  Q  H  L  B
D  Y  T  U  C  E  A  A  N  V  L  I  A  S  T  I  R  P  S  V
N  R  L  B  M  U  C  M  A  Y  X  G  E  W  K  L  O  P  C  B
A  E  A  M  X  A  T  L  I  A  S  Y  A  T  S  S  U  A  A  R
S  B  O  U  B  G  S  T  A  E  F  O  N  W  W  C  U  R  N  L
C  R  O  L  G  I  O  Z  E  T  U  G  U  Y  S  L  B  D  W  U
G  L  E  O  V  H  L  D  A  R  E  T  N  A  K  A  V  I  I  F
Y  S  E  C  M  B  T  G  Q  G  U  E  C  I  R  D  P  N  S  F
H  O  L  A  R  O  B  Z  E  O  T  I  N  Y  G  O  O  G  H  N
E  S  I  G  T  I  E  N  G  P  R  G  P  S  L  G  N  H  B  O
A  C  A  K  N  S  N  N  I  E  U  I  N  A  A  I  I  Y  O  O
V  H  S  Y  I  I  I  G  M  F  R  M  R  I  H  I  S  R  N  H
E  O  E  N  A  T  P  A  L  A  F  I  P  C  K  T  L  T  E  P
T  O  R  T  T  W  W  P  T  E  S  A  A  R  H  C  E  T  S  Y
O  N  O  I  P  I  I  E  I  E  S  E  R  G  J  E  A  T  A  T
X  E  F  Q  N  Z  S  N  S  L  R  A  I  A  H  L  X  T  I  E
O  R  I  D  W  H  Q  M  G  E  S  L  E  S  P  X  F  T  L  A
```

48. THE COMPETITION

Enter our competition and see if you can win FIRST PRIZE. You have to make up a SLOGAN, but you must ABIDE BY the rules, otherwise you will be DISQUALIFIED. You will find DETAILS here, and will be NOTIFIED of the results later. There are thirty-two answers.

```
U L D T N A R T N E Z E P O L E V N E X
I S U E A R U C O W L Q A E C N A H C L
N L Z C I W E C O E V I T A N R E T L A
S I L S K F C L I M E N I Z A G A M A S
T A R N H Y I L I E P E C I O H C F G X
R T E H X N D T O G X E V I E C E R K U
U E K S B V I W O S I A T T S E G D U J
C D A C M B S X R N I B M I P Z V Q K E
T B E O A P Q D I U B N L I T M J S Z V
I Z R N T R U P S Y N O G E N O E I X D
O X B S C E A S Y R B N R D D E R T E O
N E E O H X L L B T U B E F A P D C T O
S R I L I C I O E N G W T R T T I N P A
G G T A N I F G D E O X I S U S E I I T
Y O N T G T I A I E A P R N I P N C S H
S G K I X I E N B E U I U O N I H E L E
T N M U C N U I A R F F N U U E B E U X
B W N N R G Q M A F G M E N C W R N E I
```

42

49. VIVE LA FRANCE!

Have a day trip to **FRANCE** and learn all about this country. You must wear a **BERET**, and a special **DIOR** dress, and order the best **CHAMPAGNE**. You can see **PARIS** by night, or visit **NOTRE DAME** and **VERSAILLES**. There are thirty-three clues hidden in this puzzle.

```
K C Q T N E M T R A P E D B V I M N T K
B C G V R X M P S I R A P X Q O Y O G R
L O A V D S O T I R E N I E S D G E A I
V E U N O P U T E E U O A E U R L L U K
Y O N A C R L M A W I D L Z A N A O G N
L B M A Q A I C J O R L G C O B R P I U
M O R P H T N N I T E R S I R C C A N D
A U V O N C R A S L N E H I D H D N W E
S L B E I R O L E E E S E K H A E J I C
O E C E H D U B Z F A I Z Z M M T Y M N
M V L D R N G T R F R S P H E P R R C A
O A V L G E E N J I N T X P C A I S S R
L R D L I F T O G E R A K K J G O L I F
I D G L N A K M J S X N M W Q N M V A P
E R T N A S S I O R C C G R I E P H L V
R W E N N O B R O S A E Q I K N H C A Y
E G H V R Y A D E L L I T S A B E P C Y
K E N I S I U C Q V V Y E M A D E R T O N
```

43

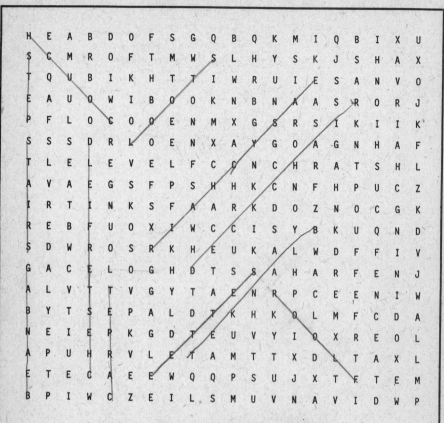

```
H E A B D O F S G Q B Q K M I Q B I X U
S C M R O F T M W S L H Y S K J S H A X
T Q U B I K H T T I W R U I E S A N V O
E A U O W I B O O K N B N A A S R O R J
P F L O C O O E N M X G S R S I K I I K
S S S D R L O E N X A Y G O A G N H A F
T L E L E V E L F C C N C H R A T S H L
A V A E G S F P S H H K C N F H P U C Z
I R T I N K S F A A R K D O Z N O C G K
R E B F U O X I W C C I S Y B K U Q N D
S D W R O S R K H E U K A L W D F F I V
G A C E L O G H D T S S A H A R F E N J
A L V T T V G Y T A E N R P C E E N I W
B Y T S E P A L D T K H K O L M F C D A
N E I E P K G D T E U V Y I Q X R E O L
A P U H R V L E T A M T T X D L T A X L
E T E C A E E W Q Q P S U J X T F T E M
B P I W C Z E I L S M U V N A V I D W P
```

50. SIT ON THESE

Choose a comfortable place as you search for the words hidden in this puzzle list. You will find a CUSHION, a PEW and a SOFA. You can pretend you are Royalty and sit on a THRONE, or lie on the CARPET.

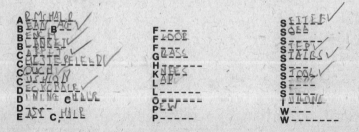

A - - - - - -	F - - - -	S ETTEE
A - - - - - -	F - OOL	S OFA
B - - -	F G - - - -	S TEP
B - - - - - -	H - - - - -	S TAIRS
C - - - - -	K - AP	S TOOL
C OUCH	L - - - - - -	S - - - -
C USHION	L - - - - - -	S - - - - -
D ECKCHAIR	O - - -	S - - - - -
D INING CHAIR	PEW	W - - -
D - - -	P - - - - - -	W - - - - - - -
E - - - - - -		

51. KEEP STOCK

Keep your CUPBOARD full, and STOW all your TREASURE safely. There must be food in the LARDER, and some money in the BANK or the SAFE. Find all thirty-five hidden words.

```
O R S B W P R E W O T S S O Y T B N O Q
R X O T L U A V R O C J M R R A P V B N
E G Y C A V Y B F O S P A E N Z I X R J
D V W N E C C K I G T R A K A R L Y Y H
G E I D W S K B L X B S W Q W L I R C T
A B P H H I A P E I U W H B U M U S T N
R O I O U A R F L R P G D R A O B P U C
A T V H S E R E E M B Y H Y M E Y G X M
G T O U S I L V S I U D D R R K S X C D
E L D E J J T R E E M S A E W T A U Y H
D E R O Q A B A W S R H E A H Q N D O P
N V G B R P Q U W V T V R U C S L A O H
E K H U P I X A N N Q E E O M A R M P E
O X C F L C S L V K H R L S R D M A R L
R L U A J K T M W O E L B D B L B S K B
P N X B P L Z Q U F E R E R E K J S E A
D K S H K E N S E C Y R A N A R G F M T
T S E V N I E J T I P Z D T U S H A E S
```

45

1. HAVING A BARBECUE

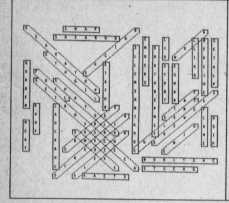

2. NON-UNIFORMITY

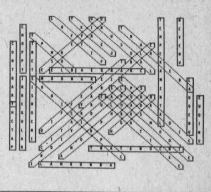

3. LET THEM EAT CAKE

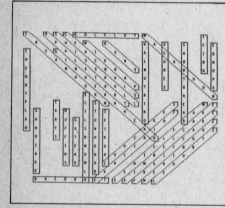

4. PASS THROUGH

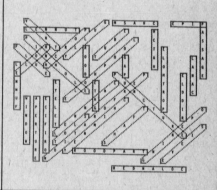

5. WHAT FOLK DO

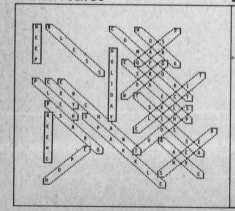

6. IN THE HIGH STREET

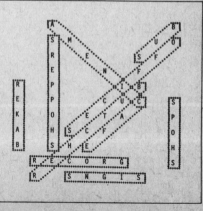

7. LEARNING A LANGUAGE

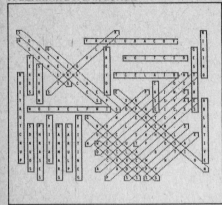

9. MUSICAL SHOWS

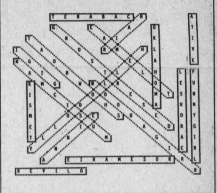

8. BRITISH RIVERS

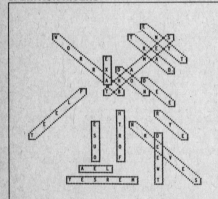

Axe
Barrow
Dart
Dee
Don
Fleet
Forth
Lea
Mersey
Ouse
Rye
Severn
Thames
Tweed
Tyne

17. GIRLS' NAMES

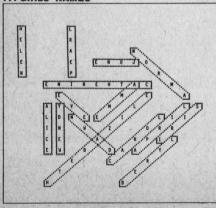

Alice
April
Beryl
Carol
Catherine
Dawn
Elizabeth
Emma
Eve
Helen
Iris
June
Norma
Pearl
Wendy

10. HYMN WRITERS

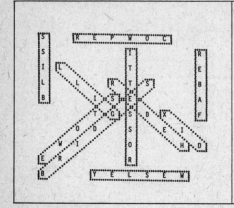

11. SUSSEX

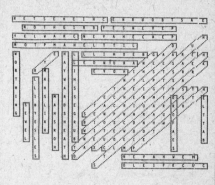

12. RISING DAMP

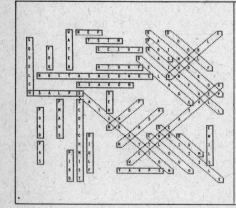

14. VERY THIN

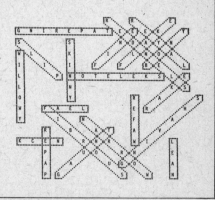

15. BELOW THE WAIST

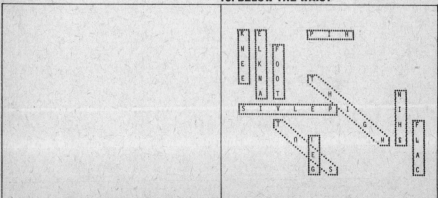

18. ARCHITECTURAL TERMS

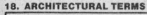
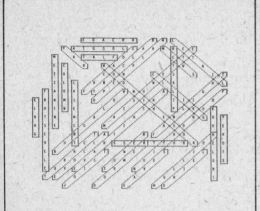

16. FIBRES – FABRICS – FINISHES

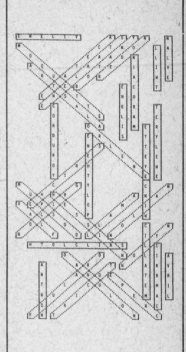

13. NOT BELONGING

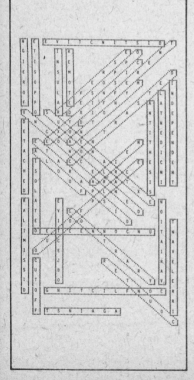

19. GOVERNMENT

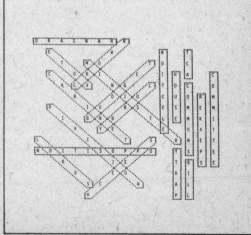

20. NOT IMPORTANT

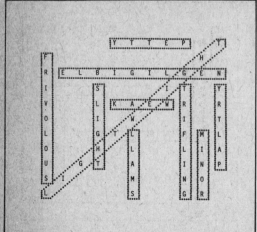

32. WELL-HEELED OR DOWN AT HEEL?

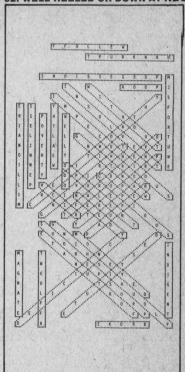

22. NON.....

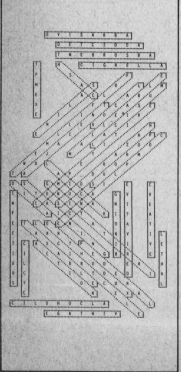

21. UTENSILS

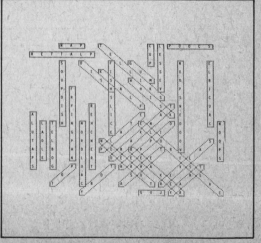

23. GUNS AND RIFLES

24. ON THE MOOR

25. A YES-MAN

27. PUZZLE

28. GO THAT WAY

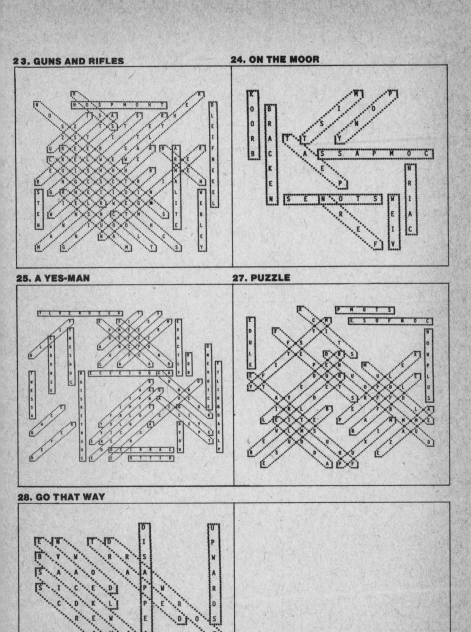

51

26. NAUTICAL

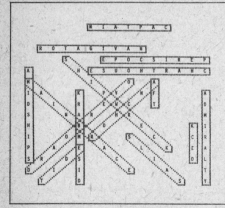

Admiralty
Aft
Amidships
Anchor
Captain
Charthouse
Deck
Disembark
Mainbrace
Navigator
Overboard
Periscope
Sails
Shipwreck
Tide

29. WOODLAND AND HILL BIRDS

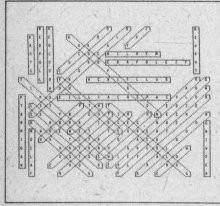

30. TIME

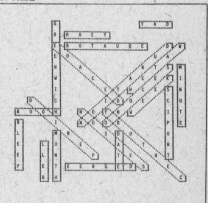

35. STIMULATE

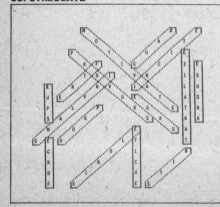

Arouse
Excite
Fire
Force
Goad
Incite
Inflame
Kindle
Motivate
Prod
Provoke
Spur
Stir
Tantalize
Urge

31. LIVE HERE

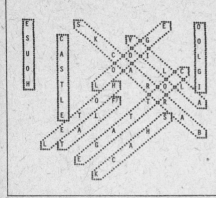

33. TEA

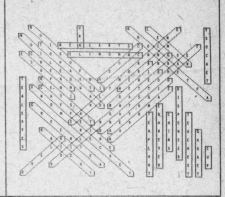

34. TO ASSUME

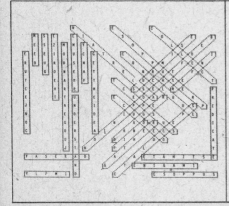

36. FALSE.....

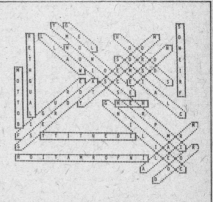

37. NOT SO CLEAN

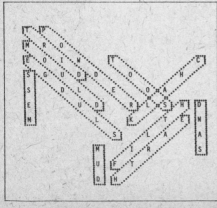

38. YES, MASTER!

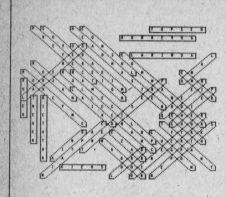

39. GENERALS

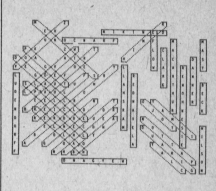

41. RED

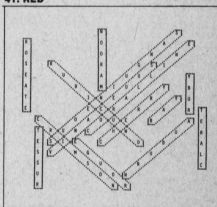

42. IN THE TIN

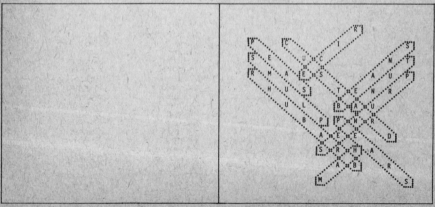

43. OUT OF.....

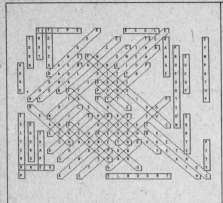

44. POMP AND CIRCUMSTANCE

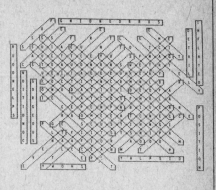

45. MUSICAL INSTRUMENTS

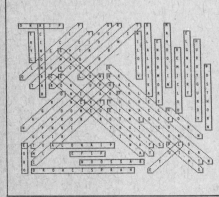

46. GOOD FEELINGS

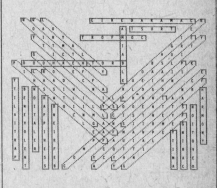

HARDER PUZZLE SECTION

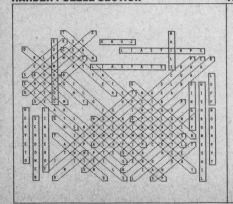

47. SAILING SHIPS

America's Cup
Barbary Pirates
Bilge Pump
Boom
Cables
Caulking
Cleats
Columbus
Cringles
Cutter
Dinghy
Draught
Fitting Out
Foresail
Grommets
Heave To
Junk
Lateen Sail
Lights

Luff
Mast
Nails
Paraffin
Polaris
Reaching
Rigging
Rules
Schooner
Sheet
Slipping
Spritsail
Staysail
Tacking
Typhoon
Wind
Wishbone Sail
Yawing

48. THE COMPETITION

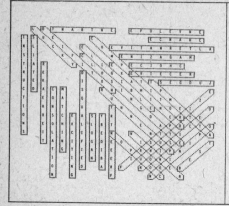

Abide By
Alternative
Attempt
Best
Chance
Choice
Closing Date
Competitor
Consolation
Coupon
Decision
Details
Disqualified
Eligible
Entrant
Envelope
Examined

Exciting
First Prize
Free Entry
Instructions
Judges
Lucky
Magazine
Matching
Notified
Opinion
Receive
Runner-up
Slogan
Tie-breaker
Winner

49. VIVE LA FRANCE!

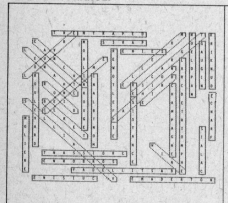

Bastille Day
Beret
Boulevard
Brie
Calais
Can-can
Centime
Champagne
Chanel
Croissant
Cuisine
Department
Dior
Dunkirk
Eiffel Tower
Escargot
Fashion

France
Gaugin
L'Arc de Triomphe
Louvre
Moliere
Mont Blanc
Moselle
Moulin Rouge
Napoleon
Notre Dame
Paris
Resistance
Seine
Sorbonne
Versailles
Wine

50. SIT ON THESE

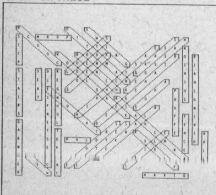

Armchair
Bean Bag
Bench
Blanket
Carpet
Chesterfield
Couch
Cushion
Deckchair
Dining Chair
Divan
Easy Chair
Fence
Floor
Form
Glass
Hassock
Knees

Lap
Lounger
Ottoman
Pew
Pouffe
Saddle
Seat
Settee
Sofa
Stairs
Step
Stile
Stool
Swing
Throne
Wall
Woolsack

51. KEEP STOCK

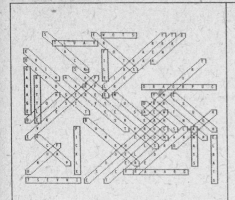

Amass
Armoury
Bank
Bottle
Bunker
Collect
Cupboard
Deposit
File
Fund
Garage
Granary
Harvest
Hive
Hoard
Hold
House

Invest
Larder
Library
Museum
Pack
Pantry
Pickle
Preserve
Reserves
Safe
Shed
Stable
Stack
Store
Stow
Treasure
Vault
Warehouse

SECTION TWO

Answers to this section on pages 101–111

1. MEASUREMENTS

You should have seen the one that got away ... it was...ooh...that long!!

ACRE
BREADTH
CENTIMETRE
DECIMETRE
DEPTH
FATHOM
FOOT
GALLON
GRAM
HAND
HECTARE

HEIGHT
HUNDREDWEIGHT
INCH
KILOGRAM
KILOMETRE
LEAGUE
LENGTH
LITRE
METRE
MILE
MILLIMETRE

OUNCE
PACE
PINT
POUND
QUART
STONE
TON
TONNE
WEIGHT
WIDTH
YARD

```
Z Q L S T O O F C T U G N I E R R Y O E
F S U L D K K X O E R H I R O W H C R T
B J R A P E J N L A N D T K I C A T J H
R H D Z R Q N I M O T E E K N I I X O U
E R A E O T M N L K M L N I K L U C R N
A N I N C G P B O I D E O L G L K E B D
D L T G D I F O L T P A T O H T J N C R
T X C A H G M L U T N G S G O N I T R E
H C T L G T I E Y N C U H R E I W I N D
K B H L Q M D T T H D E M A U P Y M I W
T N G O O S H I T R D K R M P H D E P E
W R I N L E V G W Q E P H T G C N T P I
Y J E D C U N U E O E P B E E V P R A G
D V H T D E M O V R I S I E E M F E C H
Q E A G L C E W C N T Y E C N U O Y E T
I R P W E V S A M I V E A V M C F L I W
E D Q T I B M O H T A F M R R P J W I Y
T E Y T H G I E W B X X J Q D W X K R K
```

```
D G R R K Q N J R R D W V W M
R T E X O O Q E W K O A I E U
I E T E Q T X M E F C R R I R
L L A R T I A T W U E E O E L
L E W I M O T R U L S K Y G L
C V H F P L A M E I L A C A I
O I S Y E X C S D G L E F K R
O S I K W L S I T P I V U T G
K I D I E L U C D E Q R I W W
E O R A A Q L R H E R R F S X
R N N E I R O T A L O C R E P
E E F L I C K M L N W B O V R
R R M P E R M G N I T H G I L
P C H R T R D N K A I J J D X
H R E Z E E R F Z P R Q B X J
```

COOKER
DISHWATER
DRIER
DRILL
FIRE
FREEZER
GRILL
IRON
KETTLE
LIGHTING
LIQUIDISER
MIXER
PERCOLATOR
RECORD PLAYER
REFRIGERATOR
TELEVISION
TOASTER
VACUUM CLEANER
WIRELESS

3. BREATHLESS

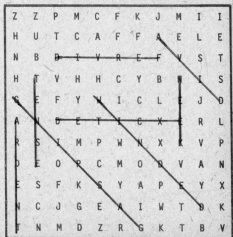

ARDENT ✔
AVID ✔
EXCITED ✔
FERVID ✔
GASPING ✔
KEEN ✔
TENSE ✔
WINDED ✔

```
Z Z P M C F K J M I I
H U T C A F F A E L E
N B D I V R E F V S T
H T V H H C Y B N I S
G E F Y W I C L E J D
A N D E T I C K X E R L
R S I M P W N X K V P
D E O P C M O D V A N
E S F K S Y A P E Y X
N C J G E A I W T D K
T N M D Z R G K T B V
```

4. BEING DEFINITE

ABSOLUTE
ACCURATE
CAREFUL
CERTAIN
CIRCUMSCRIBED
CLEAR
CONCRETE
DELINEATED
DETERMINED
DISTINCT
EXACT

EXPLICIT
EXPRESS
FASTIDIOUS
FIXED
INCISIVE
INFLEXIBLE
INVARIABLE
LITERAL
METICULOUS
PAINSTAKING

PARTICULAR
POSITIVE
PRECISE
RIGID
SETTLED
SPECIFIC
STRICT
SURE
TO THE POINT
UNBENDING
UNEQUIVOCAL

```
W  E  C  K  E  X  J  D  W  I  W  S  K  M  T  V  C  Y  L  B
I  X  U  W  C  V  I  Q  E  X  T  R  S  U  M  C  H  D  A  N
U  P  G  K  R  S  I  T  X  R  I  P  U  V  Y  L  D  E  C  E
Q  R  E  N  K  I  E  S  I  F  S  O  O  I  I  E  E  L  O  D
F  E  F  J  I  R  G  C  I  I  P  S  L  Q  D  A  L  T  V  I
E  S  I  T  C  K  T  I  J  C  R  I  U  P  Q  R  I  T  I  S
L  S  O  N  N  R  A  C  D  V  N  T  C  R  S  H  N  E  U  T
A  I  O  P  F  I  E  T  I  M  J  I  I  E  U  F  E  S  Q  I
E  C  T  D  A  L  O  T  S  F  R  V  T  C  O  Q  A  D  E  N
L  G  K  E  D  R  E  P  A  N  I  E  E  I  I  D  T  E  N  C
B  N  S  X  R  V  T  X  E  R  I  C  M  S  D  V  E  T  U  T
A  I  J  I  N  A  M  I  I  H  U  A  E  E  I  Z  D  E  C  L
I  D  G  F  Q  O  L  O  C  B  T  C  P  P  T  L  H  R  E  U
R  N  H  H  G  X  I  O  J  U  L  O  C  W  S  F  C  M  R  F
A  E  T  I  C  I  L  P  X  E  L  E  T  A  A  S  R  I  T  E
V  B  T  C  A  X  E  M  R  K  L  A  B  D  F  U  N  N  A  R
N  N  D  E  B  I  P  C  S  M  U  C  R  I  C  R  B  E  I  A
I  U  P  A  L  E  T  U  L  O  S  B  A  D  R  K  C  K  D  N  C
```

5. 'PERFECT' WAYS

ABLE
ABSOLUTE
ACCOMPLISHED
ACCURATE
ACHIEVE
ATTAIN
CAPABLE
CARRY OUT
CATEGORICAL
COMPLETE
CONSUMMATE
CORRECT
CULTIVATE
DEVELOP
DOWNRIGHT
EFFICIENT
EXACT
EXECUTE
EXHAUSTIVE
FAULTLESS
FINISH
FLAWLESS
GIFTED
IDEAL
METICULOUS
PERFORM
PRECISE
PRODUCE
PURE
QUALIFIED
RIGHT
RIGOROUS
SHEER
SKILLED
STRICT
SUPERB
TALENTED
TOTAL
TRAIN
UNBLEMISHED
UNERRING

```
Z B E M M T U O Y R R A C M
J N C V E T A R U C C A J C
T U B O I S P O L E V E D E
I N T W N T T C I R T S T I
M A E P N S S Z X W S E V E
G E O I A T U U A U L H W T
I P T D C B R M A P X Y G U
F U N I R I S A M H Z K T C
T R T L C K F O I A X B T E
E E D H A U C F L N T E A X
D O V E G C L R E U D E L E
P R Z E H I I O G L T F E T
S R I G I S R R U E C E N C
F A E G F H I N O S A N T E
I T S C O L C M W G X V E R
N T P S I R A A E O E H D R
I A Q A A S O T Q L D T J O
S I K B U Y E U O J B L A C
H N L E H Y A X S T K N C C
D E H S I L P M O C C A U G
T J D E I F R R I G P M N R
X D H F C E A D X A A I I S
V Z I I E U E U B P R G S K
Y E P H Z A D L L R H E U I
D J S M L I E O E T L R S L
M R O F R E P N R W L O Y L
C R B R E P U S A P T E O E
M E T A V I T L U C C Q S D
X W S M A S F T T C H V Z S
```

63

6. TOURISTS' ROUNDABOUT

Answer the clues to find the two diagonal places. The last letter of each answer will be the first letter of the next answer.

1. An element
2. Goes on horseback
3. Snow or hail mixed with rain
4. Route for an electrical vehicle
5. Period between childhood and adult age
6. Engaged in the chase
7. One of Noah's passengers
8. Mistakes
9. Demonstrates
10. Prophet
11. Circular
12. Let fall
13. Brace

14. Metal fence
15. Fete
16. Savory jelly
17. Drinking vessel
18. Treaty
19. Roman garment
20. Talented
21. Falling of the tide
22. Large snake
23. Object
24. Friends
25. Of doubtful honesty
26. Affirmative
27. One of the pirates in "Peter Pan"
28. Old cloth measurement
29. Sign of the Zodiac

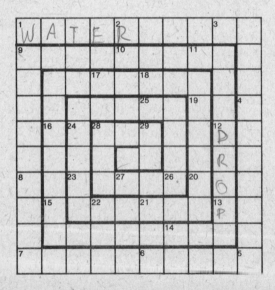

7. THE WEATHER

BAROMETER
BREEZE
BRIGHT
CENTIGRADE
CLOUDY
DEGREES
DRY
EASTERLY
FAHRENHEIT
FOG
FROST
GALES

HUMIDITY
INTERVALS
LONG RANGE
MAXIMUM
MINIMUM
MINUS
MIST
MODERATE
NORMAL
OUTLOOK
OVERNIGHT

RAIN
SHOWERS
SLEET
SNOW
SOUTH
STRONG
SUNNY
SUNSHINE
TEMPERATURE
VEERING
WESTERLY
WINDS

```
Z W G L A Y X C C V R K T X F U O K G D
H S G N V S T K N Y T S S O N M P F L K
T L L A O L U I O T I E H N E R H A F O
U C K A L R O N D M S N W C J M O M M O
O Y E Y V E T N N I Z G S L D I V J A L
S G B N Y R S S G Y M J S O E N E J X T
E A R I T N E N X R P U R U R I R T I U
I W I C E I I T V R A I H D U M N S M O
C E G C S A G E N J A N E Y T U I N U W
G N H H R L E R E I J Z G R A M G O M E
O I T R M R E A A L E B E E R O H W R S
F H T X I B S E A D R T S R E Z T M H T
X S K N Y T E M T E E E A H P T E E W E
B N G B E K R C E M E G H R M O F I I R
R U B R K O B Z O R T M S Y E P U I N L
T S L G N J E R G T S O R F T D Z A D Y
J Y H Q B U A E P O G D S R E W O H S I
S U N I M B D A X B Y D V I A X Z M F G
```

8. ZIP

```
V H T X P J S J U T P Q N J A
G C U R A M I W Q T N W E E Z
S B L S A E I Y F K Y I Y M R
Y C O E T D G R Q P F T R H G
S G O Y R L E R F A I H R P H
R W R O G M E U A L J O K A S
H Y E E T Q Z H A H I H S A D
C T E Z N K W T Y H C T N E Y
S A N X P E I M A K E I Z W R
B J R M Q V K X Q N M U B E R
H V R E P M A C S A W U G P U
H F M U E U V F T N S T D U C
D E E P S R J I R T Y G T N S
I D R D V H O Z L U W G G C A
S W H V U N Z E A T M H M H S
```

ANIMATION
BUSTLE
CAREER
CHARGE
DART
DASH
ENERGY
HASTEN
HURRY
HUSTLE
PUNCH
RUSH
SCAMPER
SCOOT
SCURRY
SPEED
SPRINT
VITALITY

9. LETHARGY

APATHY
COMA
LANGUOR
LASSITUDE
MALAISE
STUPOR
TORPOR

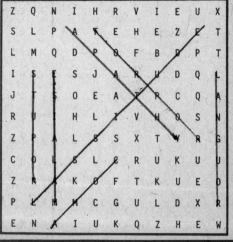

```
Z Q N I H R V I E U X
S L P A E E H E Z E T
L M Q D P O F B D P T
I S E S J A R U D Q L
J T S O E A P C Q A
R U I H L I V H O S
Z P A L S S X T R G
C O L S L R U K U U
Z R A K O F T K U E D
P L M M C G U L D X R
E N A I U K Q Z H E W
```

66

10. WASTE

B	Q	O	E	H	I	Z	W	N	F	S	I	A	L	Z
D	Z	E	Z	L	E	L	V	V	U	J	E	E	A	A
U	R	K	T	G	B	T	U	O	R	A	E	W	Z	D
H	V	A	A	B	R	A	Z	U	V	E	E	S	E	S
U	S	V	I	U	O	A	S	C	J	M	G	P	Q	N
G	A	I	E	N	D	T	N	I	P	G	L	U	A	R
R	Z	J	V	T	B	R	P	T	D	E	A	N	E	S
C	N	E	Z	A	A	O	Y	X	T	N	M	T	C	E
E	Z	E	M	H	L	P	W	E	D	V	T	K	L	G
D	W	A	D	U	R	H	I	E	N	A	E	B	O	L
O	A	T	E	I	S	Y	R	S	C	F	B	Y	D	Q
R	N	A	B	P	E	N	Q	S	S	U	N	E	B	Q
R	G	W	R	U	T	F	O	B	R	I	V	A	F	R
O	S	A	I	Q	M	M	R	C	S	Z	D	G	I	B
C	R	Y	S	L	R	O	P	X	W	S	D	I	T	G

ATROPHY
CONSUME
CORRODE
DEBRIS
DEPLETE
DISABLE
DISSIPATE
DRAIN
EAT AWAY
EMPTY
GNAW
LAVISH
RAVAGE
RUBBLE
SCATTER
SQUANDER
WEAR OUT

11. CONSERVE

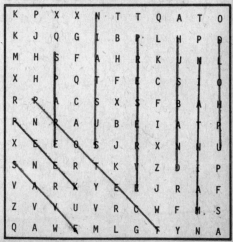

HUSBAND
KEEP
MAINTAIN
PRESERVE
PROTECT
SAVE
SPARE
SUSTAIN
UPHOLD

12. RIGHT

```
W  K  E  I  O  Y  H  T  L  A  E  H  A  I  J
H  F  N  V  C  Q  D  X  Y  J  K  D  Y  L  Q
Q  G  H  O  S  O  G  N  B  S  I  U  A  R  N
Z  H  L  Y  R  Q  R  J  U  N  Q  N  P  I  O
N  G  G  S  M  M  E  R  A  O  O  S  E  A  B
J  X  G  Z  U  T  A  R  E  I  S  F  A  F  L
U  U  S  K  H  O  J  L  T  C  I  B  J  R  E
Q  F  S  I  K  Q  U  N  C  T  T  D  H  E  P
B  Z  C  T  M  Y  E  T  T  E  M  R  O  V  N
X  A  M  J  R  V  T  I  R  A  X  V  N  O  L
L  H  O  O  N  E  N  R  I  I  R  K  E  R  G
I  R  A  O  R  G  P  I  A  C  V  H  S  R  M
B  L  C  L  I  A  K  O  C  E  Q  W  T  W  C
G  L  A  T  E  P  L  V  R  N  H  E  B  T  I
F  C  R  X  M  S  N  O  Z  P  K  C  K  P  C
```

CONVENTIONAL
CORRECT
ETHICAL
FAIR
FITTING
GOOD
HALE
HEALTHY
HEARTY
HONEST
JUST
MORAL
NOBLE
NORMAL
PROPER
SOUND
VIRTUOUS

13. WRONG

EVIL
FALSE
FAULTY
INAPT
MISDEED
SINFUL
UNFIT
UNTRUE
WICKED

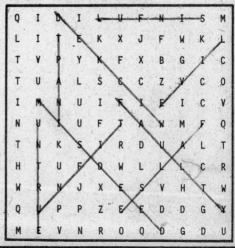

14. ON THE FOOTBALL FIELD

ATTACK
BAR
COLOURS
CROSS
DEFENDER
DISALLOWED
FIRST HALF
FORWARD
FOUL
FREE KICK
GOAL KICK
GOALKEEPER

HALF-TIME
HAND BALL
INTERVAL
KICK

LINESMAN
LOSERS
MIDFIELD
NETS

OFF-SIDE
OWN GOAL
PENALTY
PLAY ON
PLAYERS
POST
REFEREE
SCORE
SECOND HALF
SHOT
SUBSTITUTE
WINNERS

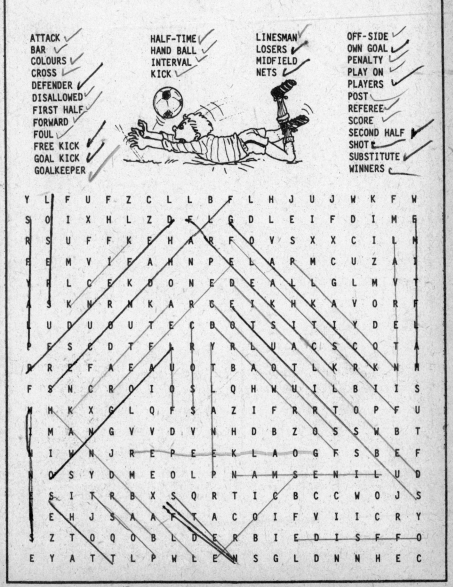

```
Y L F U F Z C L L B F L H J U J W K F W
S O I X H L Z D F L G D L E I F D I M G
R S U F F K F H A R F O V S X X C I L N
F E M V I F A H N P E L A P M C U Z A I
V R L C E K D O N E D E A L L G L M V T
A S K N R N K A R C E I K H K A V O R F
L U D U C U T E C B O T S I T I Y D E L
P E S C D T F L R Y R L U A C S C O T A
R R E F A E A U O T B A O T L K R K N H
F S N C R O I O S L Q H W U I L B I I S
W H K X G L Q F S A Z I F R R T O P F U
I M A N G V V D V N H D B Z O S S W B T
I I W N J R E P E E K L A O G F S B E F
N O S Y D M E O L P N A M S E N I L U D
E S I T R B X S Q R T I C B C C W O J S
S E H J S A A F T A C O I F V I I C R Y
S Z T O Q O B L D E R B I E D I S F F O
E Y A T T L P W L E N S G L D N N H E C
```

15. SECURE

ANCHOR
BOLD
CAREFREE
CERTAIN
CLOISTERED
CONFIDENT
CONVINCED
DEFINITE
DEPENDABLE
EASY
FAST
FEARLESS
FIRM
GUARDED
IMMUNE
INDEMNIFY
INVULNERABLE
LASH
LOCKED
MAKE
PLEDGE
POSITIVE
PROTECT
RELAXED
RELIABLE
RIVET
SAFE
SAFEGUARDED
SEAL
SHELTERED
SHIELDED
SOLID
SOUND
STABLE
STEADFAST
STEADY
SURE
UNASSAILABLE
UNBREAKABLE
UNEXPOSED

```
D G G U T B D S D Q D D I R
E X B V Y I Y E O E L E D N
K C I O L D F A P U E D E D
C K B O L I A E V C T R D C
O O S D N D N E O G D A L T
L C C I E D B N T E V U E C
Z E T E A S F U C S I G I E
R E V B L I O N S A N E H T
H B L I D B I P E O V F S O
Q E F E T V A S X B U A M R
P S N R N I E I F E L S R P
J T I O D A S D L E N O I H
J A C E L E E O T E E U F D
X B Z L V D R I P Q R G C E
E L J B R N E E U V A V D R
D E E A Z B K D T Q B L G E
M M U L O Y A S W L L E I T
H G B I X F M E G D E L P S
E L B A K A E R B N U H C I
M R S S R I U A H S A L S O
W O K S Q E N X R T A S W L
H H N A K F S D S L Z B C C
S C O N X I N A E D E A X B
A N Y U M I F P E M R S D D
F A B M A D O X R E N F S Y
E J U T A F A E F I A I S G
M N R E P L R R P S V A F B
E E T T E U E G T H E E T Y
C S B R S E D N U O S S T P
```

16. DREAMS

Do you ever dream of living
in a castle? Here are 15 castles to find.
Then the centre words will
describe your dreams.

1. NOWYAC
2. LEAD
3. GRINSTIL
4. YESTOKAS
5. WOLLUD
6. VEROD
7. STOPWHEC
8. GRUBINDEH
9. LANGAR
10. STINGASH
11. CHARLEH
12. NOVERRANCA
13. HAMBURGB
14. LICKWAN
15. YEARINRAV

1 C O N W A Y
2
3
4
5 L U D L O W
6 D O V E R
7
8
9
10
11
12
13
14
15

17. WORD CHAINS

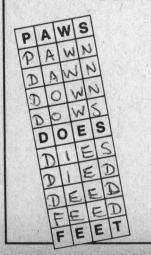

P A W S
P A W N
D A W N
D O W N
D O W S
D O E S
D I E S
D I E D
D E E D
F E E D
F E E T

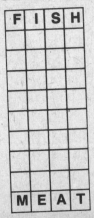

F I S H

M E A T

Changing only one
letter at a time can
you change the first
word to the last?

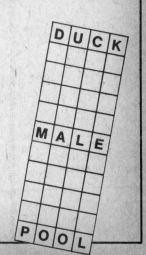

D U C K

M A L E

P O O L

18. REASON

ALIBI
ARGUE
ARGUMENT
CAUSE
COGITATE
CONCLUDE
CONSIDER
DEBATE
DEDUCE
DELIBERATE
DESIGN

DISPUTE
EXCUSE
EXPLANATION
GOAL
GROUND
INFER
INFLUENCE
JUSTIFICATION
LUCIDITY
MOTIVE

OBJECT
PURPOSE
RATIONALITY
REMONSTRATE
SANITY
SENSE
SOUNDNESS
SPECULATE
TARGET
THINK
UNDERSTANDING

```
I R L E W O L A O G D K N I H T P H W R
X I R T V Q B A S Q E D U L C N O C G X
A S E B D I Y J F Y L T R F O J V N R E
E S D Z G E T E E C U D E D U Y I R T T
L E I A X T I O X C J Z O S G D A I Q U
Q N S M A A D M M P T P T E N T E B O P
G D N A C T I I E S L I T A I S T I X S
M N O E C I C V S A F A T O M X A L F I
A U C B O G U Y R I R S N I D E R A A D
V O S G N O L G C E R A N A S E T W K J
Y S P L E C U A B E L F Q D T A S M D P
D G E W B E T I D I L X E E G I N I R M
T A C X H I L N T U D G S S W J O I G M
E I U G O E U Y E E E U R I O Z M N T N
G O L N D Y U N B T C S P O N P E B Q Y
R F A O A M C A M X I G U O U F R Z M A
A N T Q M E T N E M U G R A O N E U K K
T Z E L K E L E S N E S L O C O D R P G
```

19. EXTEND

```
B E D F P P Q D L V Z D Z K D
U N N U X M E R I T P K U A L
T L A A R O U Y K F S V E G W
E A P I U F Q S P T F R K O B
N R X C N G H B R R P U T K S
D G E U N E M A R S O S S T X
E E N Y G E I E T O E L R E T
R Q W E J G U U N B A E O X P
R U F I H Q O N L T T D H N Y
N R A T D T U I D C N Y E C G
N L E K N E G T H A U N X N L
P N H F R X N N X P E S C V Y
J Q I X F F F O E S W R P S A
W R G K L O U C V L T W P X K
A S T R A P M I K U M B K S K
```

AUGMENT
BESTOW
BROADEN
CONTINUE
DIFFUSE
ENLARGE
EXPAND
IMPART
LENGTHEN
OFFER
OUTSPREAD
PROLONG
SPREAD
STRAIGHTEN
STRETCH
TENDER
UNFURL
WIDEN

20. SHORTEN

ABRIDGE
CONDENSE
CONTRACT
LESSEN
LIMIT
LOP
REDUCE
RESTRICT
TRIM

```
H B A L P L W E N X N
Q K J T I U G A E P Z
G G T M C D S S S Y R
N S I C I A N J S A D
R T J R I E R B E A M
J E B O D R W T L H I
Z A D N S Q T Q N I R
G B O U K B A S U O T
D C Z P C E T B E T C
Y C O Z D E Q M S R S
L L R W C T H I Z P X
```

21. OPEN

ACCESSIBLE
AGAPE
AMENABLE
APPARENT
AVAILABLE
BEGIN
BROACH
CANDID
CLEAR
COMMENCE
DILATE
ENLARGE

EXPAND
EXPOSED
FRANK
FREE
GENEROUS
HOSPITABLE
INAUGURATE
MANIFEST
OVERT
PUBLIC
RECEPTIVE

SEPARATE
START
UNFOLD
UNFURL
UNLOCKED
UNOBSTRUCTED
UNOCCUPIED
UNPREJUDICED
UNRESTRICTED
UNSEALED
VACANT

```
B E L B I S S E C C A N I G E B D D Z D
N R C D E C I D U J E R P N U N E B E E
I R O X Z E D E S O P X E P A K R I L U
N P M A W U U K O U S G G P C D P B A A
A Y M I C N N N V N Y G X O I U A E Q A
U H E E M H R A E O X E L D C T T F V E
G A N O V P E R R B O N N C I A R A T A
U V C X B I S F T S U A O P R E I Y K P
R G E N S T T J T T C N S A E L X O W P
A D V Y R X R P C R U O P E A R G H S A
T J K A N E I T E U H E A B G D Z U A R
E S T K R N C N R C S D L M E R O R A E
N S E G S U T A Q T E E I L E R A E N N
K X A F N Y E C T E L R A L E N L L D T
L P B F I U D A H D V E X N A C A K N H
Z O U S D N T V K Q S Z E B H T K B G E
F R F C E P A G A N I G B V R B E Y L K
L C I L B U P M U I P O D D L O F N U E
```

1. Harsh
2. Spine
3. Bravery
4. Chew noisily
5. Mud, dust, filth
6. Strength of mind
7. Small pebbles on river-bed
8. Reduce to powder
9. Ardour
10. Pull off feathers
11. Coarse file
12. Found on seashore
13. Remove mud from shoes
14. Power of endurance
15. Obstinacy

1. A - - - - - - - -
2. B - - - - - - - -
3. C - - - - - - -
4. C - - - - -
5. D - - -
6. F - - - - - - - - -
7. G - - - - - -
8. G - - - - -
9. M - - - - - -
10. P - - - - -
11. R - - -
12. S - - -
13. S - - - - - -
14. S - - - - - - -
15. T - - - - - - - -

22. GRIT

A DOUBLE PUZZLE
Solve the clues to find the list of words hidden in the puzzle. The answers are in alphabetical order.

E	D	U	T	I	T	R	O	F	T	Y	A	V	S	R
M	Y	K	J	A	Z	J	R	S	E	A	M	T	O	X
D	N	M	U	P	F	C	M	L	T	V	T	F	L	I
L	D	U	C	R	O	T	T	A	I	A	Q	C	Y	S
K	N	Y	R	U	B	T	E	G	C	Y	M	D	E	F
F	I	M	R	R	E	D	R	N	L	J	B	I	L	J
I	R	A	E	M	N	E	I	G	A	A	G	I	N	L
X	G	A	V	B	Z	N	P	T	N	C	H	M	E	A
E	G	Y	I	U	E	O	K	W	F	R	I	V	J	T
M	D	Q	S	P	L	B	C	C	O	Y	A	T	E	A
F	P	W	A	S	Q	K	U	M	L	R	B	X	Y	T
M	D	Z	R	A	M	C	L	S	G	T	P	M	Y	R
F	N	N	B	R	Y	A	P	J	B	O	I	S	Z	I
P	A	E	A	X	W	B	H	C	N	U	R	C	H	D
J	S	E	P	A	R	C	S	J	G	B	Z	Y	J	Q

Puzzle submitted by reader Mrs. E. Timson, Hinckley, Leics.

23. CHARITABLE

```
J U I V B K H I M V R L B U Z
Q G L D F I D U C P D K M P P
O T S L E N D U M T Z G J H T
I L L C X D I D N A E Q I B T
M G U K D L N C I N N L U E G
A N F S G Y E A E G A E J N N
G I I F T V T R H N J T P E I
N T T M U N O O T N N K S V V
A N N R Q U E H L E E E T O I
N I U W S G R I G E Z P I L G
I T O N B O W L N H R Z O E R
M S B V P K U G Z E O A P N O
O N C I R D U F O Q L G N T F
U U C J N Z E S G D V X E T Z
S Q O I P O G L A R E B I L F
```

BENEVOLENT
BOUNTIFUL
FORGIVING
GENEROUS
HUMANE
INDULGENT
KINDLY
LENIENT
LIBERAL
MAGNANIMOUS
OPEN-HANDED
PHILANTHROPIC
TOLERANT
UNSTINTING

24. MEAN

BASE
COARSE
HUMBLE
INADEQUATE
INFERIOR
MODEST
PALTRY
PITIFUL
POOR
SORRY

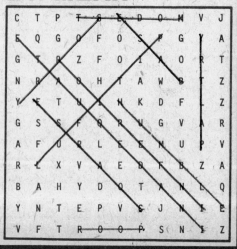

```
C T P T G E D O M V J
E Q G O F O S P G Y A
G T R Z F O I A O R T
N R A G H T A W B T Z
Y F T U I H K D F L Z
G S S F O R U G V A R
A F U R L E E M U P V
R L X V A E B F B Z A
B A H Y D O T A N L Q
Y N T E P V C J N I E
V F T R O O P S N I Z
```

25. ADAMANT

```
U J Z I U E L B I X E L F N I
U N E R B D K T F J U S G O V
K N B S S T K N P D I A N H W
U J B E H U J E Y E B F I J D
Y N C R N V M G N O A Y D I S
I H R H E D O I O W J K L N T
F Z V E G A I S T Q F C E E E
I H M R L D K N S W J O I X E
X Y F J E E K A G W M R Y O L
E K T O D L N R B S T D N R Y
D F D N K Q D T U L I A U A T
Q O D E I R J N I G E Q I B O
H N X K A L N I I N O J U L U
M W X H J O F R F T G K R E G
T E T U L O S E R F J B I X H
```

FIXED
FLINTY
HARD
INEXORABLE
INFLEXIBLE
INTRANSIGENT
RESOLUTE
RIGID
ROCKY
STEELY
STONY
TOUGH
UNBENDING
UNBREAKABLE
UNRELENTING
UNYIELDING

26. ACCOMMODATING

~~CORDIAL~~
~~FRIENDLY~~
~~GRACIOUS~~
HELPFUL
~~KIND~~
~~OBLIGING~~
~~WILLING~~

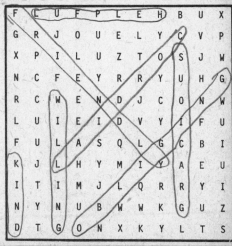

27. FOR THE HEAD

BALACLAVA
BATHING CAP
BEARSKIN
BERET
BOATER
BONNET
CAP
CASQUE
CHEF'S HAT
CORONET

COWL
CROWN
DUNCE'S CAP
HAT
HEADSCARF
HELMET
HOOD
MITRE
NIGHT-CAP

PANAMA
PORK-PIE
SKULL-CAP
SOUTH-WESTER
TIARA
TOP HAT
TRILBY
TURBAN
WREATH
YASHMAK

```
Y D D L M X S D E B X I K A M H S A Y T
Y P G T V R O S O N I K S R A E B C E T
D O O H C R U A B W M N F K Z I A R G X
P X W A T U T B H P N S I B L S E F R R
O Y R M R E H A J V O D K G Q B F Q E Q
R S E A R D W L Q W C A T U H X S K R K
K B A N S J E A H E M H E T L T Y C T S
P B T A B O S C T Q O V E P I L C E I Q
I C H P L K T L B W V U A F V F C A M Z
E O F Q J N E A O I Y C O H S I L A P L
L R C I B I R V O B S T E R U H W L P S
B O R C R R H A L E U A T L W S A L G R
A N O F A E U I C R D D T E Z J L T Y R
R E W B L P R N B S P A C G N I H T A B
A T N M T T U A C C R S T H Y N N N O X
I J E N A D N A O F L A G W V V Y O U T M
T T D I H G R W A O Q X R N D D A B W U
P N S X A F L M I T A H P O T R Z Y B X
```

28. IT'S A JAM

ABSOLUTELY
ALTOGETHER
BEND
BLOCK
BLOCKADE
BRUISE
COMPLETELY
CONGEST
CONGESTION
CONGLOMERATION
CRAM
CROWD

CRUSH
DIFFICULTY
DILEMMA
DISTORT
EMBARRASSMENT
ENTIRELY
FORCE
INTERRUPT
OBSTRUCT
PACK
PREDICAMENT

PRESS
QUANDARY
SANDWICH
SQUEEZE
STUFF
SWARM
THOROUGHLY
THRONG
TROUBLE
WEDGE
WHOLLY

```
Q L H V R C W B Y X Q T B X B P Y L Y V
Y E W B G H O L O B R K R L X L A N Z E
N S S E O G E N C Y X T O O H K B C C J
Y J W L Z R G M G H L C R G T I C R K F
R T L E I E Y O B L K E U O N S O O C H
S Y L T D Z E X C A O O T T U W I O L H
T Q N U E G E U D R R M E U D B N D Z B
N E E T C O E E Q O U R E S L G L U I Y
E S A Y R I W E H S R S A R E O M E L R
M A M L S D F T S U U N H S A O S Y F A
A T M E O T E F P I D D T T S T A B D D
C S E T M I U T I W U I H M L M I Z A N
I E L E K A L F I D O R M Q H G E O L A
D G I L V K R C F N O H B L E S D N N U
E N D P H S H C T N Q F Q C L G W N T Q
R O U M C J P X G T C U R T S B O A E F
P C D O Y R E H T E G O T L A V I J R B
C S E C U S S E R P F S G M P E H W P M
```

29. WHAT IS IT?

Place 6 letter answer to first part of each clue in column B.
The answer to the 2nd part of the clue will be an anagram using
just 5 of the letters from column B. The answer goes in column C
and the spare letter into column A.
The third part of the clue is an anagram of 4 of the letters from
column C – the answer goes into column D and the spare letter
into column E. When, complete, columns A and E will spell out
what it is.

1. Nunnery lady superior. Infants. Ignoble.
2. Thin coating of fine wood. Courage. Level.
3. Travelling case. Passage between seats. Animal.
4. Argue. Contended with blows. Strike repeatedly.
5. Eating trough. Animal's skin disease. Average.
6. Tie. A rich meal. Go without food.

	A	B (6 letters)	C (5 letters)	D (4 letters)	E
1	S	ABBESS	BABES	BASE	B
2					
3					
4					
5					
6					

30. WORD CHAINS

Changing only one
letter at a time can
you change the first
word to the last?

80

31. TENDER

ACHING
BREAKABLE
BRUISED
CARING
COMPASSIONATE
COMPLICATED
CONSIDERATE
DELICATE
DIFFICULT
EVOCATIVE
FLIMSY
FRAGILE
FRAIL
GENTLE
INFLAMED
INSUBSTANTIAL
INTIMATE
IRRITATED
KIND
LOVING
MEMORABLE
MOVING
PAINFUL
PERSONAL
POIGNANT
RAW
SOFT
SOLICITOUS
SORE
SWEET
SWOLLEN
SYMPATHETIC
THOUGHTFUL
THROBBING
TICKLISH
TOUCHING
TOUCHY
TROUBLESOME
UNPLEASANT
WEAK

```
F V F K R Y N S P V X P Y R
H D E T T P G U O E S T B A
Y S M I L F F N I L W F J W
Q U C L D A X P G I O R G T
T T O E E J U L N G L A N L
E H M T T P A E A A L I I U
E R P A A C T A N R E L V C
W O L C T T C S T F N Q O I
S B I I I O Z A G G M N L F
C B C L R U I N C N S N C F
I I A E R C W T A I I O P I
T N T D I H S S D C M V N D
E G E X T Y Y E E P H S O H
H E D M T H R G A R U I K M
T K M N E A O S N B O B N L
A X O O T M S U S I R S M G
P R K E S I O T G E R S T M
M K M S O E A R A H I A R K
Y I P N U N L K A N T D C T
S E A E T O A B T B E F I G
Z T V I R B T I U M L C U E
E G A O L S M I A O K E L L
Q L E E C A O L C L R T X P
O P L V T A F N I I N T A T
D R P E P N T S A E L I D D
S O M I I O H I G L N O N K
G N I H C U O T V F E I S A
T F O S O U J U U E K G G E
D E S I U R B L Y D S Z U W
```

81

32. CREDIT

ACCREDIT
APPROVAL
ARROGATE
ASCRIBE
ASSIGN
ATTRIBUTE
BELIEF
CHARACTER
COMMENDATION
CONFIDENCE
CREDENCE

CREDIBILITY
ESTEEM
ESTIMATION
FAITH
HONOUR
IMPUTE
MERIT
NAME
NOTICE
POSITION
PRAISE

PRESTIGE
RANK
RECOGNIZE
REFER
REGARD
RELIANCE
RENOWN
REPUTE
STANDING
TRUST
VOUCHSAFE

```
C  Z  T  W  M  E  T  I  R  E  M  E  B  I  R  C  S  A  N  D
H  N  R  I  Q  C  T  M  E  G  I  T  S  E  R  P  Z  M  O  D
A  W  D  S  D  N  U  E  Z  E  C  N  A  I  L  E  R  M  R  E
R  O  W  Z  C  E  E  C  N  E  D  I  F  N  O  C  C  T  X  T
A  N  C  U  J  D  R  N  K  A  B  O  I  Y  B  O  E  Y  M  U
C  E  G  M  Z  E  P  C  T  I  Z  N  J  E  M  S  R  T  Y  P
T  R  F  U  S  R  A  T  C  R  F  R  L  M  T  A  E  I  A  E
E  E  I  A  A  C  R  O  P  A  E  I  E  E  M  R  G  L  P  R
R  B  C  I  S  I  T  O  Z  C  E  N  E  A  T  R  A  I  P  E
F  E  S  I  B  H  S  R  O  F  D  M  T  S  O  O  R  B  R  W
T  E  N  U  T  I  C  G  U  A  M  F  U  S  X  G  D  I  O  T
W  Z  T  S  T  O  N  U  T  S  A  W  P  I  W  A  L  D  V  E
C  E  S  I  B  I  N  I  O  I  T  T  M  G  B  T  G  E  A  E
K  W  O  B  Z  R  O  F  T  V  H  P  I  N  G  E  R  R  L  M
H  N  B  E  E  N  X  H  R  U  O  N  O  H  S  F  E  C  I  A
S  F  A  F  M  U  F  L  H  C  J  N  U  S  W  G  C  J  Q  N
G  X  E  R  U  Z  V  C  N  I  T  A  M  I  T  S  E  K  O
K  R  A  K  N  G  N  I  D  N  A  T  S  R  V  S  O  P  N  A
```

33. JUMBLIES

**To find the answers rearrange the letters of each
clue, e.g. OUTSIDE = TEDIOUS.**

CLUES ACROSS
2. Outside. 7. Ax'it. 8. Chin. 9. Nine rad. 10. Rate. 12. Peke.
15. Rasem. 18. Inter. 19. He Des. 20. Tiler. 21. La rut. 22. Eel it.
23. Chaty. 26. Send. 29. Coin. 31. Rid Vera. 32. Clat. 33. Exon.
34. Shelter.

DOWN
1. A gas. 2. Edit. 3. Needs. 4. O doze. 5. Inks. 6. Cane
10. True son. 11. Date rot. 13. Lice age. 14. Nor step. 15. Layer.
16. I can't. 17. These. 24. Races. 25. Oh Rev! 27. Ante. 28. Mask.
29. Lido. 30. Does.

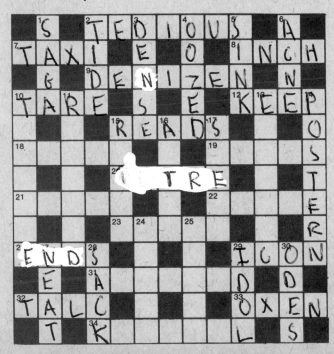

34. TONE

ACCENT
BENT
BURDEN
CADENCE
CHARACTER
COMPLEXION
DISPOSITION
EMPHASIS
HARMONIC
HUMOUR
IDIOSYNCRASY

INFLECTION
INTONATION
MANNER
MODULATION
MOOD
NATURE
NOTE
OVERTONE
PARTIAL
PECULIARITY

PITCH
QUALITY
SOUND
SPIRIT
STYLE
TEMPER
TENDENCY
TENOR
TRAIT
TREND

```
D O P Z R E N B X Y T I R A I L U C E P
D O V I R E E Y T D N U O S P Q Y O M T
K B O E T E N C S N O Q K O S S E P P N
R G W M R C K N M I E H P C A P R D H E
M H C V N T H E A S S C H R C C I S A B
B V N D O R O D J M C A C I M I Y R S G
N W O T I A T N D J R N N A O Q T L I K
M B I E T I R E E A Y O O A D O I F S T
F Q T M I T K T C S M Q I X U S L I F Q
H S C P S A Q T O R C V T D L W A K O E
D T E E O Z E I A O A U A J A A U H R O
K Y L R P R D H M W N Q N N T U Q U C T
B L F H S I H M T O N D O Y I H T A E N
J E N C I K L U T B E H T O O A D N Y D
S H I R D O R E M I D P N U N E O X N Z
H R Z I B T C C J O R J I R N R T E H K
N O I X E L P M O C U M B C W I R E R F
L A I T R A P Z A L B R E V J T B W T L
```

35. MENACING WEATHER

```
T H G U O R M F D Y R P N A W
H N A R Q T W G L B P Z Z I G
G V E I Q I Q T Q O P P N Q M
U Y O L N M Y E I K O D Q C B
A U M B O C G M X Y Y D V H H
R H Q R Y I L P R Z F T I U C
D B H U O Z V E U L U S M N F
K E L P P T T S M R W Y C G G
E U N M G S S T B E P L N K P
Y L L A U Q S U V Q N I C Y E
Z V Z L O A L O U W L T H I C
Z P B Y H E R U U I G D O R H
J P E E N W C S O P D J G K G
U B T C O Y Z B A E Y T S U G
T Y E V H S U O R E D N U H T
```

BLUSTERY
BOILING
CHOPPY
DRAUGHT
FLOODING
GUSTY
INCLEMENT
ROUGH
SQUALLY
STORMY
TEMPESTUOUS
THUNDEROUS
TURBULENCE
VIOLENT
WINDY

36. QUIETER

CALM ✓
EVEN ✓
PLACID ✓
SERENE ✓
STILL
TRANQUIL ✓
UNRUFFLED ✓
WINDLESS ✓

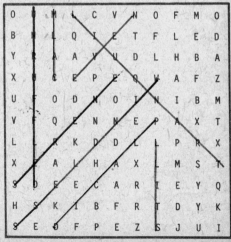

37. FLATTER

```
O K L H E O U O O O I K E G V
T P S B I D J A E Q K T L Z K
A E U C T C A D W U T O G E Y
A H C R E L I U G E B J I O P
N F T I E E O A S E U C E P G
T X X W T T Z Y R R A F V O N
R W P H E N T A M J E Y N T Z
U L A E G E E U O D A P I R C
O U N E D I A L B G B V S Q F
C R D D U C E R E T A L U D A
E E E L N I K M U C P Y P R W
L C R E Y M X Q I O L G I J N
M B T H R A Y V Z L M G O E T
P Z O O O C U G O P S U W W U
X Q W C C B I J G I L M H V Y
```

ADULATE
BEGUILE
BUTTER UP
CAJOLE
COAX
COURT
ENTICE
FAWN
HUMOUR
INVEIGLE
JOLLY
LURE
NUDGE
PANDER TO
PERSUADE
WHEEDLE
WORM

38. DERIDE

HECKLE
JEER
MOCK
SCOFF
SNEER
TAUNT

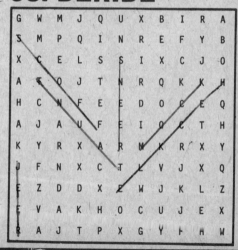

```
G W M J Q U X B I R A
S M P Q I N R E F Y B
X C E L S S I X C J O
A S O J T N R Q K K H
H C N F E E D O C E Q
A J A U F E I O C T H
K Y R X A R W K R X Y
J F N X C T L V J X Q
E Z D D X E W J K L Z
E V A K H O C U J E X
R A J T P X G Y H W W
```

39. IN THE WORLD OF RADIO

ACTUATOR
AERIAL
AMPLIFIER
ANALOGUE
BATTERY
CAPACITOR
CELL
CHANNEL
CHARGER
CODER
CRYSTAL
DECODER
DIGITAL

ESCAPEMENT
FREQUENCY
JUMPER
LINKAGE
METER
MIXER
MONITOR
PULSE
PUSHROD
RANGE
RECEIVER
RELAY
SOLENOID

SUPERHET
SWAMP
TRANSISTOR
WATTAGE
WAVE-BAND
WAVE-LENGTH

```
J A U Q A R V P S M L Y C A A J N C O Y
U R N Y D O E Q U E U H P E S D L A R B
M F E A Y E I I N S A E R B Y I A P O T
P R S A L K C N F R H I L M E O T A T D
E E L L Q O A O G I A R A X G N I C S N
R L U M W H G E D L L R O K A E G I I Y
B A P X C Y R U R E O P O D K L I T S C
C Y U A C Y Q B E T R T M H N O D O N N
H T G N E L E V A W F Q P A I S P R A E
N Y O N R P V U R Z U K O X L J Z Z R U
T Y B V E E T W T N E M E P A C S E T Q
E H R X K C V X A U W D C Y Q U X M O E
H S B E A S M I R V C A A R Z P O R M R
R R W H T S U W E S E M T H Y N A E L F
E E W A F T Y K X C A B S T I S T U C X
P D K S M R A S I J E C A T A E T R E F
U O J V F P I B M T J R O N R G C A L R
S C I E M W E G N A R R K J D E E M L M
```

40. SEE

APPRECIATE
ASCERTAIN
ATTEND
BEHOLD
CATCH ON
COMPREHEND
CONCEIVE
CONSIDER
CONTEMPLATE
DELIBERATE
DETERMINE
DISCOVER

ENCOUNTER
ENTERTAIN
GAUGE
GLIMPSE
GRASP
INSPECT
INTERVIEW
JUDGE
KNOW
LOOK AT
PERCEIVE

PONDER
REALIZE
RECEIVE
REGARD
REGISTER
REMARK
SIGHT
SURVEY
THINK ABOUT
UNDERSTAND
WATCH
WITNESS

```
D S U S U E D D Y T H G I S N D A W A J
K R R E D N O P E X W H E O P E K S V C
R F A U T K V E V T K E H H V E C N L V
A P D G C T F T R X E C I I H E A D O G
M S C J E O J A U Z T R E V R W N W O W
E A A D U R M L S A C C M T R A C X K A
R R R Z N D Q P C B R O A I T E U K A P
S G T D D E G M R E P I N S N S T H T P
N R U E H R T E P E N R R S E E R N G R
G E O L B R I T C N H E E V I K P N I E
S G B I E R G N A O D E I T R D I Q M C
G I A B H E Y O S N N E N E N A E K J I
L S K E O V D C U P C C A D T U C R W A
I T N R L O U G T E E L E R H Z O A I T
M E I A D C W A R V I C E I L Z T C X E
P R H T U S P U O Z P T T D V C O Z N Q
S I I E Q I Y G E I N M D C H E R M L E
E P B U M D D E T E I Z S S E N I I W D
```

88

41. CROSS JIG

The centre and corner units are in the correct position. Rearrange the remaining squares to form complete words.

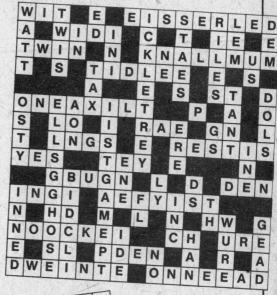

42. ANOTHER TERM

ADMINISTRATION
AGE
APPELLATION
BOUNDARY
CALL
CLOSE
COMPLETION
CONCEPT
CONCLUSION
COURSE
CULMINATION
DESIGNATE
DURATION
ENDING
ENTITLE
EPITHET
EPOCH
ERA
END
EXPRESSION
FINISH
FRUITION
IDEA
IDIOM
INCUMBENCY
INTERLUDE
INTERVAL
LIMIT
LOCUTION
NAME
PHRASE
REIGN
SEMESTER
SPELL
STYLE
TENURE
TERMINATION
THOUGHT
TIME
USAGE
VERBALIZATION
WORD

```
D N O I T A R U D F J P Q W
R E T S E M E S M T L K P N
T I S P L Z D Y F E O A H R
Z H N I H L U E P R C D B M
H K G T G R E K Q M U M A O
A B P U E N A P U I T I E I
N C O H O R A S S N I N D D
L O U U C H V T E A O I I I
J U I D N H T A E T N S A O
L R V S N D E R L I M T P E
T S Q G S R A E B O S R P L
O E I F U E L R E N N A E Y
N E H N E T R S Y O M T L T
R O E T I Y O P I R U I L S
E T I T I L X T X I S O A D
P M N S C P A E L E A N T R
O E A O U N E Y L H G C I O
C M D E I L R N A Y E O O W
H N O M S T C Z C O T B N G
E W L I L U E N B P P E K N
V U K T D I E L O P E M I I
C K E S U B M F P C C A E D
H N F L M X G I D M N N F N
S F W U Q S S Q T I O H X E
I A C L D X O E G A C C G I
N N O I T A Z I L A B R E V
I W A E D U L R E T N I C S
F C R G G L A P K D I P D W
Q J E W W N O I T I U R F H
```

43. KEEN

ACUTE
ANIMATED
ARDENT
ASTUTE
AVID
BITING
BRILLIANT
CAUSTIC
CLEVER
CUTTING
DISCERNING

EAGER
EDGED
ENERGETIC
ENTHUSIASTIC
FINE
HIGH-SPIRITED
HONED
INCISIVE
INTENSE
KNIFELIKE
LIVELY

PENETRATING
PERCEPTIVE
PIERCING
POINTED
QUICK
RAZOR-SHARP
SENSITIVE
SHARP
SHREWD
THIN
TRENCHANT

```
O M R G I H C D R Q Q C G P J J L W O F
H A A G T N I B I G E N A W A I P D Y T
C N Z C R L T G J N I V A U V C K W B N
T I O L E P H Q H T C V I E S K U R S E
W M R E N G I J A S I I L T C T I T D D
D A S V C F N R C D P Y S I P L I D E R
L T H E H U T I I I O I U I L E W C G A
D E A R A E L T T K J Q R I V E C N H C
D D R H N D W P S I E T A I R E I R I N
C X P E T V C S A K B N V H T C Y T E G
Y U P R A H S X I F T Y S N R E E G B P
O C T W E F M L S Y T C Q E I G D U D W
F A C T P N E E U O G N I N R E C S I D
H J S I I F I N H B Q P T E Y R E G A E
X O V T I N V F T Q Q E N S C T Q P G D
B D N N U O G U N J N E F C Z W P R Y G
W S K E L T B H E S A D E T N I O P P E
N P G V D Q E I E V I T I S N E S I R D
```

44. CROSS REFERENCE

All the letters of the alphabet are used to complete the puzzle. The same number always represents the same letter – e.g. 5 is always N.

4	20	7	6	1	9	23	■	2	11	3	7	20
18	■	21	■	11	■	11	■	9	■	11	■	7
13	5	21	9	1	■	23	11	20	13	2	5	6
7	■	9	■	4	■	22	■	22	■	7	■	1
1	7	16	9	■	21	4	3	2 (M)	4 (E)	5 (N)	1	6
11	■	■	■	6	■	3	■	7	■	23	■	■
3	4	14	4	23	1	■	26	9	24	4	6	1
■	■	13	■	3	■	24	■	24	■	■	■	10
19	4	6	1	13	3	4	6	■	11	5	23	4
9	■	1	■	8	■	23	■	19	■	9	■	7
24	3	9	8	8	20	4	■	7	12	4	3	1
24	■	23	■	4	■	5	■	20	■	23	■	3
15	9	4	20	24	■	1	3	7	25	4	17	4

1	2	3	4	5	6	7	8	9	10	11	12	13
	M		E	N								

14	15	16	17	18	19	20	21	22	23	24	25	26

45. KEEP

ADHERE TO
CELEBRATE
COMMEMORATE
CONDUCT
CONFINE
CONTINUE
CONTROL
DEAL IN
DELAY
DETAIN
FULFIL
HAVE

HINDER
HOLD
HOLD BACK
HONOUR
LIVELIHOOD
MAINTAIN
MANAGE
OBSERVE
OPERATE
PERFORM
POSSESS

PRESERVE
PROTECT
REMAIN
RESERVE
RESTRAIN
RETAIN
RETARD
SECURE
STOCK
SUPPORT
SUSTAIN
TRADE IN

```
T F M P I T Z P F Q C I N V L K A B J E
N R U N I L A E D Y A M G R W P M I R V
X E O N I E D A R T J L J Y A I T U C R
Q T L P E H D O O H I L E V I L C Y M E
B A Y K P V R E P T C E W C F E M A C S
D I H I C U R O V O E M F O S U N V C E
M N P K O A S E N A R H Z M W A L O J R
E S M N H S B D S O H N H M G K N F Q P
N U O O E I U D F E I Y S E Q T E E I T
I H N S O C G R L A R U Q M R T T H N L
F Y S I T T E R T O S H O O E L A L I D
N W A L T P E N E T H R L R T E R U A M
O D I L S N I R A S E C E A A V B R T S
C D B D E A O I E T T M V T R R E E E T
J B Q S M D N C A H A R Z E E E L D D O
A C T C E T O R P I D Z A Q P S E N L C
P E O L K C D I N H K A O I O B C I O K
Z Z A J U W W M O L P M K L N O H H H M
```

1. Day one is born
2. Fighting with fists
3. Dec. 25th
4. Crowning of a sovereign
5. Ressurection festival
6. Appointment
7. Dad's
8. Act of getting university degree
9. Belonging to mother
10. Toss it
11. Nov. 11th
12. Patron Saint of Scotland
13. Patron Saint of Wales
14. Patron Saint of England
15. Patron Saint of Ireland
16. Marriage ceremony

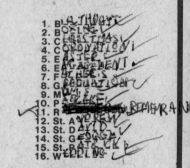

1. BIRTHDAY
2. BOXING
3. CHRISTMAS
4. CORONATION
5. EASTER
6. ENGAGEMENT
7. FATHER'S
8. GRADUATION
9. MOTHER'S
10. PANCAKE
11. REMEMBRANCE
12. St. ANDREW
13. St. DAVID
14. St. GEORGE
15. St. PATRICK
16. WEDDING

46. DAYS TO REMEMBER

A DOUBLE PUZZLE
Solve the clues to find the
list of words hidden in the
puzzle. The answers are
in alphabetical order.

```
D  J  U  J  N  O  I  T  A  N  O  R  O  C  G
I  R  T  F  T  P  S  R  E  H  T  A  F  O  S
V  E  V  N  C  M  S  J  Q  E  N  T  H  E  B
A  M  A  F  Y  B  U  T  U  N  S  D  Y  E  Z
D  E  P  A  L  R  C  B  P  G  E  H  N  A  K
T  M  Y  I  G  D  H  N  R  A  Y  S  W  E  P
S  B  F  A  O  D  R  J  V  G  H  O  O  D
S  R  N  W  D  S  I  R  V  E  G  R  I  F  G
T  A  E  E  S  H  S  Y  R  M  K  P  I  N  L
G  N  R  D  R  X  I  K  E  X  O  I  G  W
E  C  D  D  E  P  M  R  G  N  M  X  P  R  K
D  E  N  I  H  B  A  V  I  T  Q  A  O  A  J
R  I  A  N  T  F  S  M  G  B  L  R  G  J  G
G  U  T  G  O  N  O  I  T  A  U  D  A  R  Q
E  D  G  M  A  M  M  E  K  A  C  N  A  P
```

47. ABOUT THE WEATHER

ABLATION
ANEMOMETER
ANEROID
ATMOSPHERIC
BAROMETER
BEAUFORT SCALE
BLIZZARD
CHILL
COLD FRONT
CONDENSATION

CORONA
DENSITY
DEW POINT
DRIZZLE
EVAPORATION
FRONT
GALE
GLACIATION
HAZE
HIGH PRESSURE

HUMIDITY
HYDROGRAPH
LOW PRESSURE
MILLIBAR
OCCLUSION
PRECIPITATION
RAIN GAUGE
SANDSTORM
SATELLITE
TROUGH

```
A V N H P A R G O R D Y H L B U M Q G O
N X O S B G A B E S I N O I T A L B A L
O D I R D H H V E F N M V P Q E P V E O
R R T E C I O G E A I R R N T A I H L W
O A A T C Y O T U L U E A I Y R H E Z P
C Z S E A M Y R L O C F L I Z N R A Z R
N Z N M C N R I E I R L O R N U W A I E
O I E O U I B O P N E T E R S G E L R S
I L D M T A R I T T A T H S T V A I D S
T B N E R N T E A S E O E U A S J U Y U
A G O N O A I S H M D R C P M Y C T G R
I E C A T F Z O O P P N O C I I I A J E
C V V I V G F R P H S R A W L S D R L I
A P O C I W A J G W A O F S N U A I T E
L N H H L B O I K T E H M E B C S N T S
G X A I H Q H B I P N D D T Z K O I G Y
Z J Z L E U I O T I E L A G A R U X O J
B B E L K T N O R F D L O C F Z R O V N
```

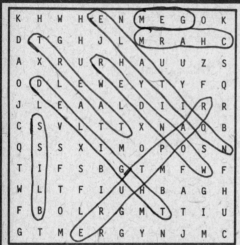

48. JOY

49. BOTHER

ADDLE
AGGRAVATION
AGITATE
ANNOY
AWKWARDNESS
BAFFLE
BEWILDER
CONFUSE
DISCONCERT
DISTRESS
DISTURB

DIVERT
EXASPERATE
EXCITE
FLURRY
FLUSTER
FLUTTER
HEADACHE
INCONVENIENCE
IRRITATE
IRRITATION

MUDDLE
NUISANCE
PERPLEX
PEST
PESTER
PUT OUT
TROUBLE
UPSET
VEX
VEXATION
WORRY

```
N F E C N A S I U N E T P I Y J S H L I
E D D P L F B Y E T R E C N O C S I D A
U E I I Y R M R G G S B E F E A E H H N
A Q T S N L U R D T K L B T L V N R V N
O G Y Y T C V O W I D Y A N F R D P R O
T X G T I R O W B D V R K V F F R E N Y
E T K R R R E N A K E E E Q A L A S O N
O X I S A O R S V P R X R D B U W T I Y
F P C V S V C I S E A E I T R R K E T H
W B E I R M A A T T N S T P P R W R A E
C X E T T X X T I A T I G S C Y A V T A
F O E W A E M O I U T P E Q U F S T I D
L D N N I U N X R O M E X N N L U R R A
U H F F D L P B E N N R H Z C O F O R C
T G Z D U F D S L G F P V R T E N U I H
T V L E M S H E E C P L W U B R Q B U E
E E U E D Z E D R T S E P R W U C L I S
R T C V E T A T I G A X O S W O P E R X
```

50. a. THE BOOK

Answer the clues and, reading downwards, the first column will give you the title of a book and its author.

A. Not these.
B. Moorland.
C. Concerning race.
D. Dog lead.
E. Trick.
F. A quantity.
G. Army rank.
H. Old China.
J. Displease.
K. Strong.
L. Enlist again.
M. Ill repute.
N. Fatal.
P. Parentless child.
R. Cad.
S. Wild animal.
T. Throwing out.
U. Citrus fruit.
V. Bow down.
W. Hockey-like game.
X. Long padded seat.
Y. Beginner.

A	65	18	102	62	73	
B	25	10	105	109	127	
C	57	126	87	115	88	129
D	107	41	12	125	56	
E	14	131	55	60	111	70
F	63	28	122	13	26	119
G	72	59	95	35	53	42	96
H	39	66	116	133	44	85
J	120	75	27	80	3	11
K	34	121	106	33	69	24
L	20	108	1	74	81	4
M	31	51	101	61	23	54
N	49	118	83	46	6	97
P	47	103	43	117	124	82
R	29	99	17	104	128	58
S	98	92	19	2	52	40
T	7	15	78	91	114	30	90
U	64	48	77	45	113	93
V	9	21	36	16	94	123
W	38	110	71	84	79	5
X	8	32	86	22	100	37	112
Y	89	130	67	50	132	68

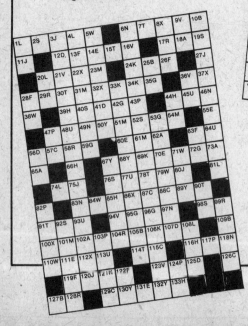

b. THE QUOTATION

Find the quotation by using the letters from the completed answer above.

51. LIVING

ACTIVE
ALERT
ANIMATED
ASTIR
AWARE
BRISK
BUSTLING
BUSY
EAGER
EBULLIENT
ENERGETIC

ENTHUSIASTIC
FERVENT
FIDGETY
FRISKY
HASTY
IMPATIENT
INTERESTED
JUMPY
NERVY
NIPPY

PERSISTENT
QUICK
SKITTISH
SPEEDY
SPRIGHTLY
SPRY
VIGOROUS
VITAL
VIVACIOUS
WAKEFUL
WATCHFUL

Walkies!!

```
T N E V R E F I Y W W H M X D Z C Y Q N
E T Z J V Q D O T M L E S A K V J S M N
B R V H J I U X I N Y R T I I I S U Y L
A Z I A G U G I H S E M E T T M J B R S
S T V S D L Z O C T G I A G Q T C O P R
T R A T E X P S R K O L L G A I I U S D
I E C Y T N B K P O B B S L T E N K A E
R A I B S J E M D U U P T S U T N T S T
H W O M E G V R S X R S A E N B O N L A
C A U W R B L T G I X I V E F T E E H M
O R S R E I L T G E S I I E C A D T L I
S E A D T I F H F U T T J A K J B S U N
P Z Z E N R T I H C A I L J U R D I F A
E F A G I L D T A P Y E C M I Q Q S H G
E R C S Y G N S M P R G P S U B G R C C
D V K F E E A I P T D Y K W X C O E T I
Y Y F T P B L I L U F E K A W X M P A V
A B Y B G A N F E Y V R E N E C S B W C
```

52. IMPLICIT

```
R Y T C D Z K C K U S L C C G
P N I N N E A D B G A X I X S
I L E R E W S Z E I S S T T A
U R T K K T A S T T N P E R B
N G N M O A A N E I O A B S S
Q N E R G P E L R R D N J S O
U I R I D T S T J F P F E E L
A T E F O E N N A U Z X L D U
L B H P Q I X S U C N Z E M T
I U N Z O P T I D L Z C G N E
F O I J Z D E I F I N G I S U
I D D E N I A T N O C B G A E
E N H V R A C X F M C R B A I
D U I Z J B M T B J X T T Z K
J U U N C N J C O U I C P N D
```

ABSOLUTE
CONTAINED
DENOTED
FIRM
FIXED
INHERENT
INTRINSIC
LATENT
POTENTIAL
SIGNIFIED
STEADFAST
UNDOUBTING
UNEXPRESSED
UNQUALIFIED
UNSPOKEN

53. EXPLICIT

BLATANT
CANDID
CLEAR
DISTINCT
EXACT
EXPRESS
FRANK
OPEN

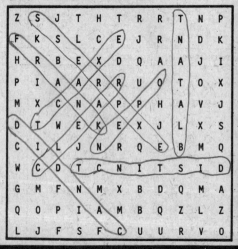

```
Z S J T H T R R T N P
F K S L C E J R N D K
H R B E X D Q A A J I
P I A R R U O T O X
M X C N A P P H A V J
D T W E K E X J L S
C I L J N R Q E B M Q
W C D T C N I T S I D
G M F N M X B D Q M A
Q O P I A M B Q Z L Z
L J F S F C U U R V O
```

100

1. MEASUREMENTS

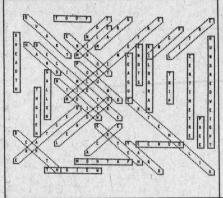

2. POWER NEEDED

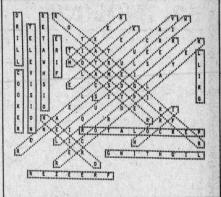

3. BREATHLESS

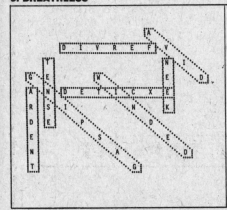

4. BEING DEFINITE

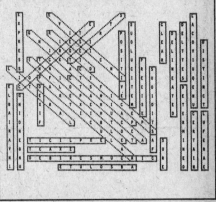

6. TOURISTS' ROUNDABOUT

```
W A T E R I D E S L
S H O W S E E R O E
R P I C U P A C U E
O S A T E S H T N T
R A M E L L A O D R
R L I E O E D G R A
E A A M S E Y A O M
V G O B B E L B P W
O N I L I A R I A A
D E T N U H T U O Y
```

7. THE WEATHER

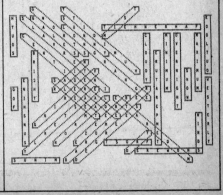

8. ZIP

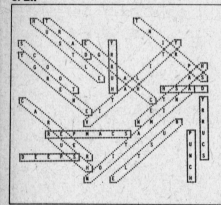

9. LETHARGY

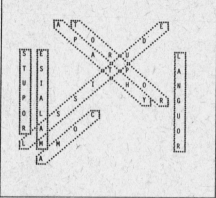

10. WASTE

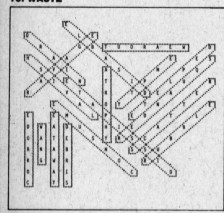

11. CONSERVE

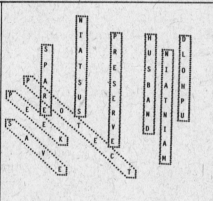

12. RIGHT

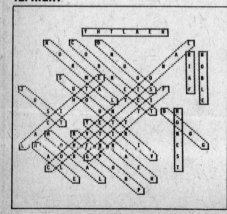

13. WRONG

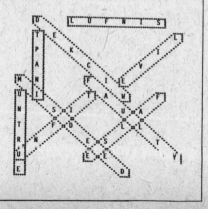

14. ON THE FOOTBALL FIELD

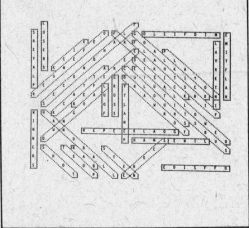

15. SECURE

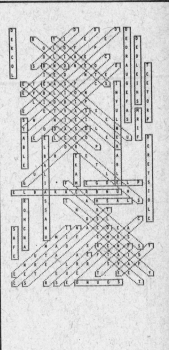

5. 'PERFECT' WAYS

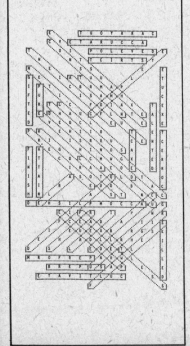

16. DREAMS

```
          C O N W A Y
      D E A L
          S T I R L I N G
          T O K E S A Y
          L U D L O W
    D O V E R
  C H E P S T O W
      E D I N B U R G H
R A G L A N
    H A S T I N G S
H A R L E C H
      C A E R N A R V O N
      B A M B U R G H
  A L N W I C K
  I N V E R A R A Y
```

103

17. WORD CHAINS

P A W S	F I S H	D U C K
C A W S	D I S H	R U C K
C O W S	D A S H	R A C K
C O N S	C A S H	R A C E
D O N S	C A S T	M A C E
D O E S	C A N T	M A L E
D I E S	C E N T	T A L E
D I E D	S E N T	T A L L
D E E D	S E A T	T O L L
F E E D	M E A T	T O O L
F E E T		P O O L

18. REASON

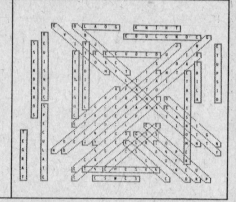

19. EXTEND

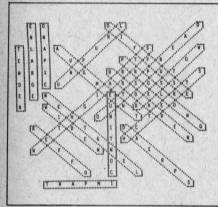

20. SHORTEN

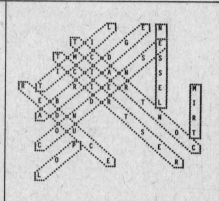

21. OPEN

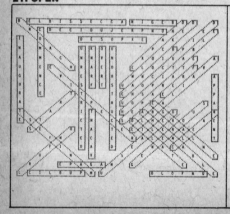

104

22. GRIT

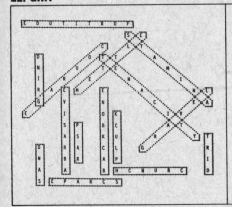

Abrasive
Backbone
Courage
Crunch
Dirt
Fortitude
Gravel
Grind
Mettle
Pluck
Rasp
Sand
Scrape
Stamina
Tenacity

23. CHARITABLE

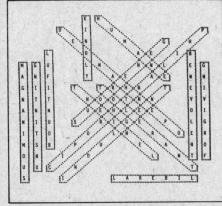

24. MEAN

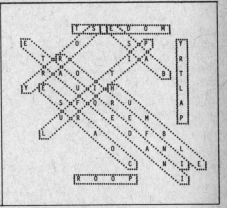

25. ADAMANT

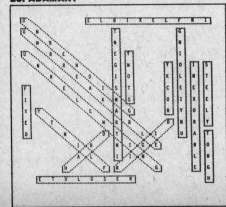

26. ACCOMMODATING

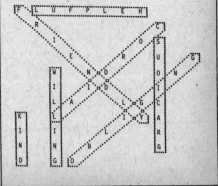

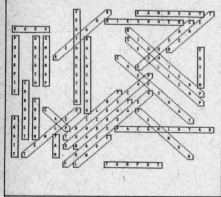

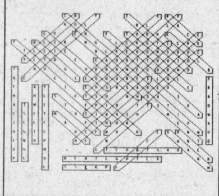

29. WHAT IS IT?

1. S ABBESS BABES BASE B
2. E VENEER NERVE EVEN R
3. V VALISE AISLE SEAL I
4. E DEBATE BATED BEAT D
5. R MANGER MANGE MEAN G
6. N FASTEN FEAST FAST E

30. WORD CHAINS

DIVER	COLD	SEEK
DIVES	TOLD	LEEK
DOVES	TOLL	LEAK
DOTES	TALL	PEAK
DATES	BALL	PECK
DARES	BALE	PACK
DARTS	BASE	PACE
CARTS	BASH	PANE
CARDS	BATH	PINE
WARDS		FINE
WANDS		FIND
LANDS		

32. CREDIT

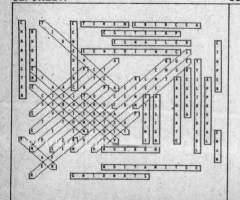

33. JUMBLIES

```
    S  TEDIOUS  A
  TAXI  E  O  INCH
    G  DENIZEN  N
  TARE  S  E  KEEP
  O  O  READS  L  O
  NITRE  N  HEEDS
  S  A  LITRE  G  T
  ULTRA  I  ELITE
  R  E  YACHT  A  R
  ENDS  C  O  ICON
    E  ARRIVED  D
  TALC  E  E  OXEN
    T  KESTREL  S
```

34. TONE

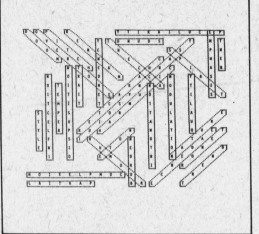

42. ANOTHER TERM

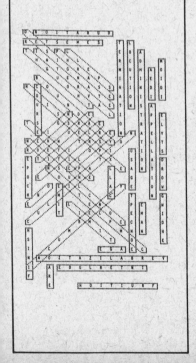

31. TENDER

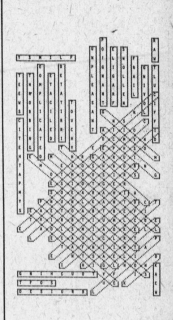

35. MENACING WEATHER

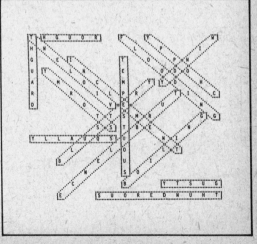

36. QUIETER

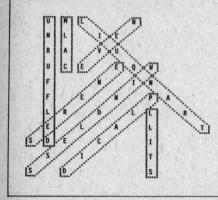

37. FLATTER

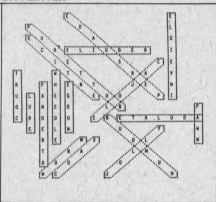

38. DERIDE

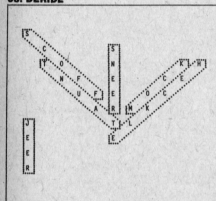

39. IN THE WORLD OF RADIO

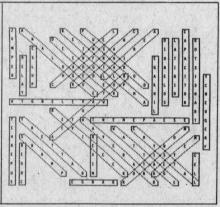

40. SEE

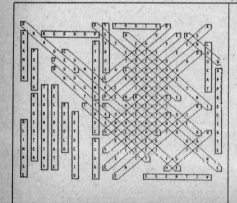

41. CROSS JIG

```
W I T C H   B U G   T I L E D
A   W A   I   A   A   E   E
T W I N N E D   M A X I M U M
E   G   D   E   E   E   O   I
R E S I S T S   S I D I N G S
E   N   H   P   N   N   T
D E N S E R   R A C K E T   S
    T   I   E   L   P
W   G A L L E Y   I N T O N E
I   N   L   S   N   L   G
D E N T I S T   D E F Y I N G
E   O   N   A   O   L   N   H
N O O D L E S   L E I S U R E
E   S   E   T   L   C   R   A
D W E L T   Y E S   K N E A D
```

43. KEEN

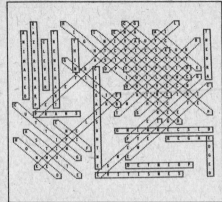

45. KEEP

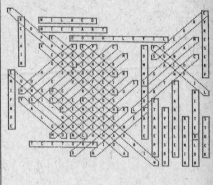

44. CROSS REFERENCE

```
E L A S T I C   M O R A L
Q   F   O   O   I   O   A
U N F I T   C O L U M N S
A   I   E   K   K   A   T
T A X I   F E R M E N T S
O     S     R   A   C
R E J E C T   W I D E S T
    U   R   D   D       H
G E S T U R E S   O N C E
  I   T   B   C   G   I A
D R I B B L E   A V E R T
D   C   E   N   L   C   R
Y I E L D   T R A P E Z E
```

```
1  2  3  4  5  6  7  8  9 10 11 12 13
T  M  R  E  N  S  A  B  I  H  O  V  U

14 15 16 17 18 19 20 21 22 23 24 25 26
J  Y  X  Z  Q  G  L  F  K  C  D  P  W
```

46. DAYS TO REMEMBER

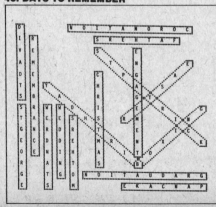

Birthday
Boxing
Christmas
Coronation
Easter
Engagement
Father's
Graduation
Mum's
Pancake
Remembrance
St. Andrew
St. David
St. George
St. Patrick
Wedding

47. ABOUT THE WEATHER

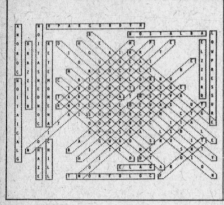

48. JOY

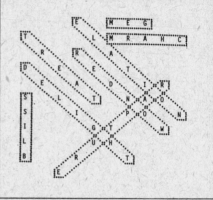

49. BOTHER

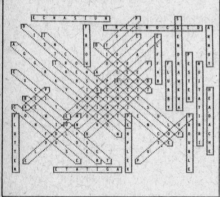

51. LIVING

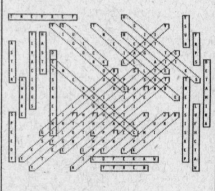

50. a. THE BOOK

A THOSE
B HEATH
C ETHNIC
D LEASH
E OUTWIT
F NUMBER
G GENERAL
H CATHAY
J OFFEND
K ROBUST
L REJOIN
M INFAMY
N DEADLY
P ORPHAN
R ROTTER
S CHEETAH
T OUSTING
U ORANGE
V KOWTOW
W SHINTY
X OTTOMAN
Y NOVICE

b. THE QUOTATION

Jenny looked about the room.
The furniture was cheap and
ordinary. There was not a
vestige of taste in anything.
The only comfortable thing in
the room was the couch.

110

52. IMPLICIT   53. EXPLICIT

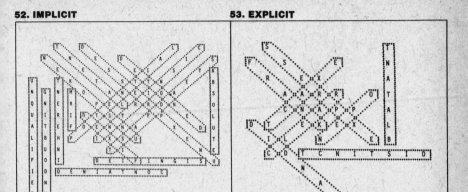

SECTION THREE

Answers to this section on pages 162–174

1. PEOPLE

ACTOR
ACTRESS
ARISTOCRAT
AUNT
BEACHCOMBER
BEGGAR
BOY
BROTHER
COUSIN
DUCHESS
DUKE
EMPEROR

EMPRESS
FATHER
GIRL
KING
LABOURER
MAN
MILLIONAIRE
MOTHER
NOMAD
ORPHAN
PAUPER

PRINCE
PRINCESS
QUEEN
SISTER
TRADESMAN
TRAMP
UNCLE
VAGABOND
WAIF
WANDERER
WOMAN

```
L M V E C H P C B H E I S G S H V Y A S
I R E H T A F L E R R D T S N Q T L U J
T R X Q P V X S I P E N P R E I E J N E
D J T Z J G C A R P B O E P A H K G T R
R E H T O M N R R C M B B E A M C X X O
N J B G R O E I Q K O A N E U U P U R R
A Z L N I R N S F H C G U C G Q P E D E
M Z H L E C D A I C H A X A I G R E G P
O G L D E N T U M O C V X K C U A I R M
W I N J K I A E K S A W W V O T R R I E
M A N E X R R E M E E Y T B K L R C M V
W I A L X E C X W P B D A C U N L E J F
U D H C R H O I R G R L A S R O C V S L
Q W P N H T T F T O E E U R S M O Z I S
L O R U I O S N W I T N S A T A U V D W
S A O Y B R I S A A S C H S C D S O E I
O X U O D B R Q M H I G A I Q T I V A V
P P Y E B Y A B G V S F S S E C N I R P
```

2. QUITE SOMETHING

ADMIRABLE
AMAZING
ASTONISHING
ASTOUNDING
AWESOME
EXCELLENT
EXCITING

FABULOUS
FANTASTIC
FINE
GORGEOUS
GRAND
INCREDIBLE
MARVELLOUS

MIRACULOUS
NOTABLE
OUTRAGEOUS
PHENOMENAL
REMARKABLE
SMASHING
SPLENDID
STUNNING
STUPEFYING
STUPENDOUS
SUPER
TERRIFIC
TREMENDOUS
WONDERFUL

```
C X J Q H D U A S H U K T O T A X O I G
Z H J J I M W I S M R E V J S W S C D N
S U O D N E P U T S A A N T Y S U B V I
R E F O S T N S L G T S O I B R O K T T
W V E O A O N V A L N U H S F S L E E I
G O M K T Y Y L A S N I T I M E L M R C
O E N A S Z U N A D T U Z Y N B E V R X
R L B D L P E R I D P O S A I G V S I E
G L E L E M L N O E M U N D M P R T F Q
E B X I O R G E F U O I E I S A A U I F
O O C N U Y F Y N L T R R U S U M N C A
U G E R G Q I U U D C R O A J H G N Y N
S H L E D N Z C L N I L A E B P I I G T
P D L P G K A N I U U D K G K L A N T A
I N E U S R I S U B A P D D E X E G G S
T A N S I E L B A K R A M E R O J Y S T
K R T M R N A F H I Q H P R Y I U Y A I
N G V L S U O D N E M E R T R F M S Q C
```

Puzzle submitted by reader Miss D. Allen, Ayr, Scotland

3. NUTS

ALMOND
BEECH
BITTER ALMOND
BLACK WALNUT
BRAZIL
BUTTERNUT
CASHEW
COB
COCONUT
CONKER
FILBERT
GROUND ALMOND

GROUNDNUT
HAZELNUT
HICKORY NUT
MONKEY NUT
PEANUT
PECAN
PISTACHIO
SWEET ALMOND
SWEET CHESTNUT
WALNUT
WHITEOAK NUT

```
U W W H R T S H E X N E G C L I Z A R B
C M S P B N W N A E T G G C O E K N X Z
V U W R I I E W X Z A U U M M C F O P E
U R N T E S E V G A E S N A V D O E D K
Z P M U K K T T K R N L C R T Y A N Y M
J E Y N E R C A R X O O N B E N E V U M
J C F D W A H A C E B U S U U T S B D T
A A A N H A E J R H B F N T T W T N T C
E N D U I T S S T C I L O D E E O U A F
C A B O T G T P U R T O I E A M N S B G
J C Q R E N N L N S X U T F L L H Z I X
V O W G O N U N L D V A N A A E M I Y I
P N U T A I T W A L L C R W W Y E O O J
C K J J K S J S W M W E K Y P V X J N R
H E W P N G O U O N T C I K B J O T F D
F R Q W U W W N W T A Q V H C E E B I M
N J Q D T F D F I L T U N Y R O K C T H
D N O M L A X B B X C T U N Y E K N O M
```

```
K T G M V M E S M R A Y V L P Z J S D R
Z S E C E I P P I T G N I D L O H T E M
M K B R I A I N Y L K J D G B A G G V P
D Q F E X B D O G T R S N O X T N J L U
N G S M G U I S V O Y I K N G I Y H M C
A Y Q I S I S D T U P I R W F X E A M E
M S Y T D E N S E L B D K C X C R Z N P
E M R E N L E N E D O S P B N G R R Q N
D Y G I X V R H I N N R F A I V A S C Z
C J S Z N J B O C N O I H N V C A F I H
U U G I P O T N W F G C M B N F R J E C
B L N L I Q N U I J S S H R E Y T C G L
B I I F G N I T T I F T W S S T O G N A
X O N C Q W R N E R W I T M A M V V A S
O G E B A F P B T R Q A M L F Y F Z H S
K B P X N K W O F S R C K O I I O Q C E
J M O X C L E M B T J C R B S M W Z N S
X S N A E M C S K W K T S R I V L A T W
```

4. SMALL.....

ARMS	FINGER	MINDED
BEGINNINGS	FITTING	OPENING
BUSINESS	FOWL	PIECES
CAKES	FRY	POINT
CHANCE	HELPING	PRINT
CHANGE	HOLDING	PROFIT
CLASSES	INDUSTRY	START
COMFORT	INVESTOR	TALK
DEMAND	MARGIN	TYPE
	MEANS	WORLD

5. A FEW FLOWERS

```
F P S P X N P S A S M U Y R J
S H J Z B I F H E S N S C Y E
P T T R U W P T L W T X O S Q
M S O N G K A T D O X E F I Y
L P I C I D Z Y U I X J R A E
Y E N D K C O H Y L L O H D T
S E B I M L A Y I F I A V F M
N D Z L T A V Y O O I P U A D
O W D U U W N X H N I T R I I
W E D S U E G E U E Y I L N Y
D L F W I L B T M D G U I E L
R L N B O R E E N O P O W D I
O I D V B P I A L I N U C R L
P T E N X V C D N L X E L A D
I W S H V R I T S C V P I G G
```

ANEMONE
ASTER
BLUEBELL
CANDYTUFT
DAISY
FOXGLOVE
GARDENIA
HOLLYHOCK
HYACINTH
IRIS
LILY
LUPIN
MARIGOLD
PETUNIA
PHLOX
SNOWDROP
SPEEDWELL
STOCK
TULIP

6. IN THE KITCHEN

BLENDER
BOWLS
COOKER
FREEZER
KETTLE
MIXER
POTS
RACK
SINK
TEAPOT

```
K D E Q U F K G S S N
X D Z C R R O N I T R
T D K M S E E R N O E
R O W U L E Q E K P X
A M P T G Z R K A B I
C W T A J E E O V J M
K E S J E R D O A H S
K R B L Z T N C V C C
D J J V W K E J Z I C
E I C F Q O L Y K G N
T R N M N A B C H O F
```

7. FIRST BABY

ANGELIC
ASLEEP
BATH
BIRTH
BLUE
BONNET
BOTTLES
CHRISTENING
CLEAN
COT
COTTON WOOL
CRY
CUTE
DRESS
FINGERS
FOOD
GURGLE
HAIR
LAUGH
NAPPIES
NIGHTDRESS
PINK
POWDER
PRAM
QUIET
RATTLE
ROMPERS
RUMPUS
RUSKS
SCREAM
SHAWL
SOAP
SOCKS
TALCUM POWDER
TEARS
TEDDY BEAR
TOES
VEST
WATER
WEIGHT

```
A R U G N H Q D S W A J M M
K G T N H P F J G C A V R H
A H O I W O H S R A E T A C
A G T N D K T M W T V I E J
N U X E B O A B U N R W A R
G A F T C Y B C F L E R Z S
E L H S G U T F O S D C K S
L H P I R G Y O R F W C F S
I S N R G L W E X D O T B E
C E V H E N G A Z S P M R R
P O A C O N S P N L M A K D
G T T T I L R X N C U E H T
H U T F E A N Y A I C R R H
R O R E M A R V E S L C Y G
C U P G P C E X L H A S N I
S R M P L S P Y C H T C B N
T E I P T E G T S E R A D C
P E L N U O P T H H U B U V
S A N T A S Y E Z G A X Y U
U T O N T C J I S H I W Y U
Q J D S O O D U D L W E L L
Q D H K O B B Q O N G O W T
M R P F R A E B Y D D E T G
B G O O D O O F S I N S V Y
D L O M W N R I G U K B S B
R O U P P D C R X S N I Y M
E T N E I E E F U B G R V Y
S N O F A N R R E L T T A R
S K G L Q O K S A R U H S X
```

119

8. ONE WORD BOOK TITLES

Puzzle submitted by reader Mrs. N. Barnes, Bradford

AIRPORT
BANCO
BONECRACK
CASHELMARA
CIRCUS
CONINGSBY
DRACULA
EMMA
ENDYMION

FIREFOX
GOLDFINGER
HOTEL
IVANHOE
JAWS
KENILWORTH
KIM
KIPPS

LANDSLIDE
MANDINGO
MASQUERADE
MOONRAKER
NEMÉSIS
PAPILLON
PENMARRIC
PERSUASION

PSYCHO
ROOTS
SEAWITCH
SHARDIK
SYBIL
THUNDERBALL
ULYSSES
VILLETTE
WHEELS

```
B T K J S A C U Z E I Q E L P O L Q K L
O T O I K U A S I S E M E N P M Q X I A
N G B D D A C R K M M F H A O S Z B M X
E T Z K T R L R A A O S N O I M Y D N E
C C S K L A A U I M E P N S U S J C T Z
R I E J E I T H C C L R B L C N N E H K
A R G A T R H R S A A E Y N O H D Q E O
C R O W O P U P O K R S H L V A H N L Y
K A L S H O N E E O S D L S R M I C A R
E M D R I R D R F E T I V E A L H O N E
E N F P S T E S S B P S U N W C S N D E
O E I X F J R U C A D Q D O T L R I S P
H P N B I I B A P I S I R I E O K N L W
N F G I R W A S A A N T W E C O I G I K
A G E U E B L I M G H A H N Q B P S D Q
V O R F F C L O O X E W A T Z A P B E N
I Z I U O K C N Z S L B G I T A S Y X S
S Z J Z X L E T T E L L I V D K F A P U
```

9. BBC

```
P G V N S G V T D W K T O X W
U B B J O H T S R U S J V U A
E F R S V I O C L O H D E H V
Z I O T P H S R J E P G R K E
H D A U E O J S T G N S S Y B
L Q D B I L C N I O F N E B A
A N C D E U E I L M E E A C N
N R A S W D Y V S D S W S H D
G R S N R R V T I U A N O D C
U Q T A T D R W O S M H A D A
A A M E Y E D H J B I P S R E
G A O H C L H F Y J B O O R T
E P O N R S T S W E N F N P M
S M O O U L A N R E T X E M L
E C W B R D G Y M U I D E M H
```

BROADCAST
BUSH HOUSE
CHANNELS
CONCERTS
DEBATE
DRAMA
EXTERNAL
HOME
LANGUAGES
LONG
MEDIUM
NEWS
OVERSEAS
POETRY
POP MUSIC
RADIO
SHORT
SPORT
TELEVISION
TRANSMISSION
WAVEBAND
WORLD-WIDE

10. BEST ACTORS

BOGART
BRANDO
DONAT
FINCH
NIVEN
OLIVIER
PECK
STEIGER
TRACY
VOIGT

```
Y D X D M K H N G G O
A N G U O C C R T D T
P D A V N L E E O G O
B C M I B G I N P X O
E O F J I I A V J Y D
J X G E Q T Y O I D N
S S T A E D C I L E A
N S Q Z R L A G U H R
N E V I N T R T D M B
U J X K U E T O K D J
I A M W Q V G S R S B
```

11. EASY MOVEMENT

AGILE
ATHLETIC
BEAUTIFUL
CO-ORDINATED
DRIFTING
ELEGANT
FLEET
FLEXIBLE
FLOATING
FLUENT
FLUID

FLYING
GLIDING
GRACEFUL
HOVERING
LISSOM
LITHE
LOPING
MOBILE
RHYTHMIC
RIPPLING
ROLLING

SLIPPING
SLITHERING
SMOOTH
SUPPLE
SURE-FOOTED
SWAYING
SWOOPING
VOLATILE
WAFTING

```
R H G N I T F A W G N I Y A W S B C R W
Y G W L H D S X Y Z G D C G R E F G J Q
H E L I B O M L V R I F V N A E Q N A F
V O F T F O U U I U L J L U Q P L I J V
N G V H U B C L P Z I T O L W P Y T S
R K N E G O A F O V P I S W A Z X L E W
G I D I R R X R I O F I Q S W T F F E O
F N P E R I H D C U R V N M O W I N L O
L F I P T E N Y L I T D G G C M D N F P
E K E L L O H G T D T T I L K E C Z G I
X T L Y L I O T G H R E N N I O B L B N
I B I R G O N F I U M I L A A D Y U V G
B E T G I O R G E L F I F H G T I E D S
L L A D M Z J O W R S L C T T E E N P M
E P L N K R Z M Q Q U T U S I A L D G O
V P O L U F E C A R G S P E D N S E W O
G U V L A X E L I G A R O P N J G H E T
Q S J L S W I G N I P O L J F T L P U H
```

12. ON APPROVAL

ACCLAIM
ADMIRE
APPLAUD
APPRECIATE
APPROBATION
BACK
BLESSING
CELEBRATE
CHEER

CLAP
COMMEND
COMPLIMENT
CONTENT
DESIRED
ENDORSE
EXALT
FAVOUR

FLATTER
GLORIFY
GRACE
GRATITUDE
HAIL
HONOUR
PASS
PATRONISE

PERMISSION
PRAISE
RATIFY
RECOMMEND
SALUTE
SANCTION
SATISFACTION
SUPPORT
TRIBUTE

```
Y G N I S S E L B O R D N T S A D A T X
S S A P P R A R A E M O O N E Y P M L N
L U T O I E A L T W I G O E D E N S A O
T F J M R T R T U T L I Z T U N E Z X I
R G D V I S A M A T T T E N T D T B E T
O A Y F M L A B I C E J W O I O A W I C
P H Y N F I O P N S H J C C T R I E K A
P A A G D R A A P C S O L R A S C S L F
U L P S P R S L W L L I N J R E E I I S
S W P P Z D D E C U A A O O G H R A A I
D E A I X N Z T Z C O U P N U Y P R H T
N B J K Q E R A H B A C D D F R P P L A
E A K H K M W R Q Q B U O I E I A U Q S
M C W P C M S B E E C A R G S R N R R R
M K B H F O C E S I N O R T A P I V A J
O A E Q H C F L C H L R U O V A F S D Q
C E S Z P E V E N G E T U B I R T L E L
R C N U R R J C D T N E M I L P M O C D
```

13. AN OUTING

```
Z Z O P E L A S X J B J H U T
M A Q O S U C R I C T T X H F
Z L U F T L V T W H D A E E Z
P L I C K T Y P U C T A N Z X
W S L F T R A G K T T U R W Y
Z Q M E E I R T A R Z U M L N
S G L L C R O G E P C L W Z O
U T L A N T E N X L A C G N I
T A A R T R U E Q A E T E F T
G R A D A I T R C V X T G Q I
K Y E U I A C M E I V G X U B
P X A C S U Z E L T W O H S I
Q N D L N K M A R S W S S X H
I E S A P O W Z B E R K R Y X
T U Q T H Z C A V F R A Y D E
```

AUCTION
BAZAAR
CIRCUS
CONCERT
EXHIBITION
FESTIVAL
FETE
FILM
GALLERY
LECTURE
PLAY
RECITAL
REGATTA
SALE
SHOW
STADIUM
TATTOO
THEATRE

14. SUDDEN EVENTS

AMAZE
ASTOUND
IMPULSE
JOLT
SHOCK

SPARK
START
STARTLE
STUN
THRILL

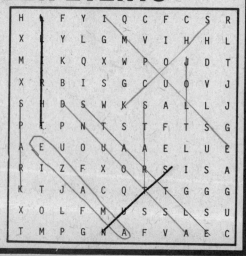

```
H F Y I Q C F C S R
X L Y L G M V I H H L
M K Q X W P O J D T
X R B I S G C U O V J
S H B S W K S A L L J
P P N T S T F T S G
A E U O U A A E L U E
R I Z F X O R S I S A
K T J A C Q T T G G G
X O L F M U S S L S U
T M P G N A F V A E C
```

```
D S R E G A T F N I O C V V O Y E W A W
I H W A R H B P L Q A F G R E T X G E S
A U R A T I I D H O M G A T Z L O K C O
I D I A H T I P E J R N A E D A V O V Q
S T A H M A A E O T G I H C L Y R E S W
L M E M D B W Z M E I S B A V O K W T S
A E P E A L L J Y E U H T U N R P N D T
T L M S H S M I N B R M W E N E L N I B
E B P H Y T K X N G W A T H M D O S T P
P M A S B U Q D O G I O L U M M A H T D
S E B W R Z U L I N Q E F D A O O X R S
T M U O I S E O T J L R R I S R O A U L
L E D L D L V G A W E K D E N E D L T R
I T D L T E D P N P V L R R V N T A B A
M S K E E W P C O I I U K U A O P H K E
M V Y Y A E R P R W B J G T R C S K S P
I U U U B J B I O Y H W S E J A Y J H J
S B W I N H D W C C M V D T R O T S R M
```

15. ROSE AND CROWN

ATTAR	DIAMONDS	ORANGE	SOVEREIGN
BLOOM	EMBLEM	PEARLS	STANDARD
BUD	EMERALDS	PERFUME	STEM
BUSH	FLORIBUNDA	PETALS	THORN
COIN	GOLD	PINK	TIARA
CORONATION	HIP	RAMBLING	VELVET
CORONET	HYBRID TEA	RED	WHITE
DAMASK	JEWELS	ROYALTY	WILD
DIADEM	LEAF	RUBY	YELLOW

```
S E S S E R T C A V S Q S Q
S S E Y O G B S D O Z Z Q R
P A D A B U T H U V D G A E
O Q C O S U N N S A M T Z C
R O T T N C D D L C S E A A
P O R T O M E K T C R T E X
R F M E I R S N O R E I X E
W A E X S P S N E R A K P C
N A E N R S T R E R T C H T
T R R O O I E R B N Y O K D
Y C M D N H S R P C R F I O
T P E U R J P Z D E X R M T
T S I F M O I O O R E Q S C
Z T I L F N B G R C I A C K
Y F I T Z E R E T C C A M E
R F R B R A L O H D I E H Y
E D D Q P A R A N Q S M E G
G W L H D O P K I P M L Y R
A U E G R X F U Y C E G D I
N R I H A R R T E T E T U P
A K E E O E E O O K E P T N
M L P O B H C C F S A A S D
R C A G R E U I C B U M R O
O I T K E A D S A E T L E U
O C O I P R O U M X O I D O
L I E V P S R M E T C G N G
F Y D O A A P Q R R U H U L
Q I I O L L Z J A A E T M I
Q A V V Y C T P J O S C S B Y
```

ACTORS
ACTRESSES
AUTOCUE
CAMERA
CAST
CATERERS
CHOREOGRAPHER
CLAPPERBOARD
CONTINUITY
DIRECTOR
EXTRAS
FILM
FLOOR MANAGER
HAIRDRESSER
KEY GRIP
LIGHTS
MAKE-UP
MAKE-UP ARTIST
MICROPHONE
MUSIC
PRODUCER
PROMPT
PROPS
REHEARSAL
SCENERY
SCRIPT
SET
SOUND MIXER
SOUND TRACK
SPECIAL EFFECT
STAR
STUNTMAN
UNDERSTUDY
VIDEOTAPE
WARDROBE

17. LET'S DANCE

Z	T	D	Q	P	A	F	T	V	R	E	F	K	L	Z
X	A	R	S	K	P	A	F	E	N	U	Z	E	D	D
F	N	T	R	T	R	M	P	N	U	P	U	A	J	X
O	G	E	E	S	U	O	A	Q	E	N	P	N	I	Y
X	O	L	C	O	L	V	P	K	D	F	I	E	V	O
T	O	L	N	K	A	T	B	I	L	J	T	M	E	E
R	U	A	A	P	E	T	S	K	C	I	U	Q	U	L
O	T	B	L	X	Y	L	P	C	B	Y	L	E	E	L
T	N	O	I	T	A	M	R	O	F	N	D	T	P	I
Y	I	W	A	B	A	K	I	T	C	G	L	T	G	R
S	O	D	A	A	I	H	Q	I	R	K	E	O	I	D
O	A	H	H	L	H	K	O	L	H	O	E	V	J	A
D	I	M	O	O	T	N	D	L	I	F	R	A	U	U
T	C	Z	B	B	C	Z	M	O	F	O	O	G	R	Q
O	Z	V	O	A	K	P	B	N	U	W	O	L	L	U

BALLET
FORMATION
FOXTROT
GAVOTTE
JIG
JIVE
LANCERS
MINUET
PAVANNE
POLKA
QUADRILLE
QUICKSTEP
REEL
SAMBA
TANGO
WALTZ

18. HOME-BREWING

AROMA
BARLEY
BITTER
CLOUDY
GYPSUM
HOPS
MALT
MASH
SUGAR
YEAST

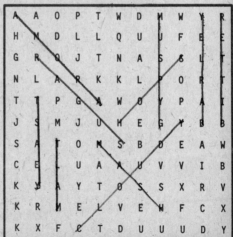

A	A	O	P	T	W	D	M	W	Y	R
H	M	D	L	L	Q	U	U	F	E	E
G	R	O	J	T	N	A	S	S	L	T
N	L	A	R	K	K	L	D	O	R	T
T	T	P	G	A	W	O	Y	P	A	I
J	S	M	J	U	H	E	G	B	B	B
S	A	T	O	M	S	B	D	E	A	W
C	E	L	U	A	A	U	V	V	I	B
K	Y	A	Y	T	O	S	S	X	R	V
K	R	N	E	L	V	E	H	F	C	X
K	X	F	C	T	D	U	U	U	D	Y

19. SEA PUZZLE

BANKS
BUOYS
CHANNEL
CORAL
CURRENTS
DEEP
DIVERS
FISH

FISHING
GAS
GULF STREAM
ISLANDS
MARINE FARMS
NAVIGATION
OCEAN
OIL

OIL-RIGS
PIPELINES
PLANKTON
REEFS
RIDGES
ROUTES
SANDS
SEA BED

SHELVES
SHIPPING
SHOALS
SQUALLS
STORM
SUBMARINE
SUPPORT SHIPS
TIDES
TRADE WINDS
WATER
WRECKS

```
Q W Q S B N G N I P P I H S D J S R H W
G Z C P D G R O S K B G G Z L I A V T K
S P O I W L O M M S D N A L S I V K K U
E E S H S I U I R V U W I K O P N E M K
D E H S E S T B A O A E F E Y O V A R X
I D O T V E E A F T T I N D T C E T N S
T I A R L N S H E C S S H K U R U A X B
H Q L O E I W R N H H L N R T V V H R Y
O W S P H L N A I Q N A R S K I E O T K
D S P P S E I N R M L E F J G N I O K S
C E U U W P G G A P N L H A B L C I U C
G O B S Y I L P M T U W T U R E E B H O
A A B A W P H V S G N I O I A F M A W R
S A S S E G D I R O O Y G N I A N S R A
F J H X V S L H O N S S D S R N R K E L
F L S D N I W E D A R T H I E F D N C X
E P S W O S L L A U Q G M I L F S A K B
R U P G S D N A S H I E J V R T I B S Q
```

128

1. Warning signal
2. Two-wheeled vehicle
3. Colour of the sky
4. Town in Kent
5. Place of worship
6. Close it behind you
7. Burns in the hearth
8. Ring slowly
9. Chime
10. Circle
11. Sledge
12. Call people on this
13. Happy occasion

1. A - - - - -
2. B - - - - - - -
3. B - - - -
4. C - - - - - - - - - -
5. C - - - - - -
6. D - - - -
7. F - - - -
8. K - - - - -
9. P - - - -
10. R - - - -
11. S - - - - - -
12. T - - - - - - - - -
13. W - - - - - -

J	O	E	B	R	O	Z	C	J	V	G	O	S	E	X
E	C	T	Y	L	O	H	P	T	X	N	B	T	K	O
R	R	C	E	B	U	B	L	V	K	D	I	Y	U	D
C	M	V	D	R	X	E	K	G	E	O	C	P	Q	K
L	I	I	C	U	R	I	R	N	K	O	Y	W	S	N
L	A	H	O	G	I	P	O	I	V	R	C	M	D	E
G	Z	E	B	D	A	H	M	R	Y	D	L	T	B	L
C	E	U	P	G	P	R	U	X	V	G	E	L	E	L
H	L	F	I	E	A	G	R	A	I	G	Y	W	N	F
G	F	G	L	L	Y	R	U	B	R	E	T	N	A	C
I	J	E	A	I	F	A	X	O	V	X	V	J	E	H
E	T	K	Y	B	I	X	H	A	B	I	T	Q	N	L
L	B	O	T	M	R	E	L	G	N	I	D	D	E	W
S	R	N	E	P	E	Y	T	Y	L	V	G	A	M	O
H	W	I	N	H	H	U	Q	W	T	U	E	X	Q	B

A DOUBLE PUZZLE
Solve the clues to find the list of words hidden in the puzzle. The answers are in alphabetical order.

20. BELLS

21. THE EXPLANATION

```
A I I N S T U O E L Z Z U P T E R H R U
U U Y R E D L F U X F N H U H L E J E B
C N C E T C S N T S T I O N K G S Z A D
L S P S A B D F P A T E N R G N O N H E
V C U O T O K M N X R O F D N A L M E C
G R G L R V R G M U S I T N I T V D V I
N A N U E B L B G A N T N K D N E H X P
I M I T S E D I E D H D E O N E G U N H
K B R I T W F R T G E D M G I S J O R E
C L A O Z E O H I T C A E T F I T E U R
A E E N N X E R E V S T U C Z D S U S T
R K L Q I K S R K C R O O R O U O O I L
C C C F E S M Z E I T R N U L D L F E C
B O L Y E I A R G A N P E T T U I V G G
M L I U N Y T H E A F G D W T C A N F F
B N G E G A T B K B K Z O I S R O P G H
D U Y U I F V R R P X G O U N N J M Y F
S M E N G N I V L O S N K U T R A Q E P
```

ANSWER	FIGURE OUT	RESULT
ASCERTAIN	FIND THE KEY	SET AT REST
BEAT OUT	FINDING	SOLUTION
CLEARING UP	FINDING OUT	SOLVING
CRACKING	GET RIGHT	UNDO
DECIPHER	GUESS RIGHT	UNLOCK
DECODING	OUTCOME	UNRAVEL
DENOUEMENT	PUZZLE OUT	UNSCRAMBLE
DETERMINE	REASON	UNTANGLE
DISENTANGLE	RESOLUTION	WORKING OUT
	RESOLVE	

22. NOT SO NICE

ABASE
ABUSE
BLEMISH
BLIGHT

DAMAGE
DEFACE
DEFILE
DEGRADE
DEMEAN
DEMORALIZE
DEPRAVE
DISFIGURE
DISHONOUR
HARM
HURT
ILL-TREAT
IMPAIR
INFECT
LOAD

LOWER
MALTREAT
MAR
MISTREAT
MISUSE
OUTRAGE
POLLUTE
PULL DOWN
REDUCE
SPOIL
STAIN
TAINT
UNDERMINE
VIOLATE
WASTE

```
L B M C Y X I W E S A B A F T Y Z U H B
S O L E T A L O I V H B W N H A B N O J
Y P W E Z D C Q T R U H V I A A I Z F M
Z T O E M I E N I A T S T N O E R N P O
H E U I R I L F I T Y F D C S U M M T S
O B E V L M S A I R B L H U O G P E I L
B L R N T X A H R L N P S N H E T P D E
R L K A U A A L P O E I O E S R T O F C
I F I D M R E U T G M H R U X O J L Z A
A H Y G R I L R Z R S E B M E U P L D F
P U W K H L N E T I E A D I T N E U A E
M X W O D T V F D L X A P S S D D T O D
I M R O J A I U E A L C T T A E A E L V
W C W G R B U A R C X I X R W R R I T F
L N K P E C U D E R T X O E L M G S X M
W Z E G A M A D Y T I U T A E I E V Z B
X D E R U G I F S I D I B T H N D G H O
D Z O F T E G A R T U O M N W E M F D J
```

23. SO DRY

```
O L V E F N B I U W V K H M
W O H S O D S A A A S A D E E
I W F V G U M T U C E V V V
T K V M B L E O O L I A D H
H E G T L R R G L T P T R S
E Y L O L D D E A O N Y L D
R E R E Y W V N R E U D E S
E D S H E I I A R N E K J S
D S N R R G T E E U A G B E
R A H H A E F M D B X M U L
A S S M D F O B E K M N I E
E W I L I T U Y E S D Q G F
S N L D I S N P B E O N A I
U U N O V L E A R W I C L L
D I N S E L R S T T L A O J
V A W Q I D T B S S O R O J
L J N R X A E E O S I U F I
N X E B T K R T B R T D Z A
E T C E A E F D S A I H Z X
S S D I T R T P E A R N V A
G N Z N T F E F R H L R G N
F D I P I S N I P O C B E D
A N F T Q X A Z Y X S R X N
U D I P A V P C O B S A A Z
K N W L A N O S R E P M I P
D I E T O M E R P A B Y C C
I A Z K D R K L A L S R N S
R L P L G M H N Q A L D C S
A P Z J H L A C I R I T A S
```

ALOOF
ANHYDROUS
ARID
BAKED
BARE
BARREN
BLASTED
BORING
DISTANT
DROLL
DULL
EVAPORATED
IMPERSONAL
INDIFFERENT
INSIPID
JOCOSE
LIFELESS
LOW-KEYED
PARCHED
PLAIN
PROSAIC
REMOTE
SARCASTIC
SATIRICAL
SEAR
SHREWD
SHRIVELLED
STERILE
SUBDUED
SUBTLE
UNDERSTATED
UNEMOTIONAL
UNIMAGINATIVE
UNINTERESTING
VAPID
WATERLESS
WITHERED

1. Flesh of a cow
2. Cuts into pieces
3. Toss or throw
4. Small slices of meat
5. Young sheep
6. Limb
7. Organ of the body
8. Chop into small pieces
9. Between head and shoulders
10. Flesh of a pig
11. Between ankle and knee
12. Cry on this!
13. Cooking the meat slowly
14. Flesh of a calf

1. B - - -
2. C - - - -
3. C - - - -
4. C - - - - - -
5. L - - -
6. L - -
7. L - - - -
8. M - - - -
9. N - - -
10. P - - -
11. S - - - -
12. S - - - - - - -
13. S - - - - - -
14. V - - -

A DOUBLE PUZZLE
Solve the clues to find the list of words hidden in the puzzle. The answers are in alphabetical order.

P	J	L	S	A	E	I	C	Y	I	Q	V	P	K	I
D	V	I	L	H	Q	G	H	C	P	T	B	A	B	F
R	A	V	E	L	O	Y	G	V	R	X	Y	C	P	K
E	U	E	Z	E	U	U	D	N	I	E	W	S	O	R
E	A	R	R	S	J	N	L	X	M	C	H	T	R	M
N	C	T	I	A	Y	K	C	D	N	N	G	E	K	O
X	S	K	D	B	J	C	L	K	E	Q	G	W	W	B
G	A	R	T	M	B	E	A	K	N	R	S	I	N	M
Z	P	C	K	A	H	N	E	C	L	T	E	N	S	N
L	R	V	C	L	E	R	V	N	E	P	S	G	I	K
C	E	E	U	P	G	E	L	L	D	Z	A	H	H	F
J	C	E	H	U	T	Q	T	P	D	I	S	K	M	C
V	N	A	C	C	C	U	Y	B	T	S	P	O	H	C
O	I	Q	T	O	C	F	L	X	Y	B	A	Q	S	W
P	M	Q	R	I	W	W	F	E	E	B	X	T	L	V

24. MEAT LIST

25. THE STORY OF LINEN

BLEACHING	FINISHING	SLIVERS
BOBBINS	FLAX	SOFTENERS
CAMBRIC	FRAMES	SPIN
CLOTHES	LACE	TEXTILES
COMBS	LAWN	THREAD
DAMASK	LOOM	TWIST
DRAWING	MILL	WEAVE
DRYING	REED	WEFT
DYEING	SAILCLOTH	WINDING
FIBRES	SHUTTLE	YARN

```
L B D S R S E M A R F W A M S S K L U W
V Y H E U Z J A V P P H O O E V I X E T
K P E L H W A F M K K O G R V Q A G O V
I D J O D E C I S F L S B T D L O G W T
T X J B C A L S R F T I L L F T X L O P
N W K A W V O R E N F B A I E Y L C C Y
I J I I N E T X N M C C L X V I H O V T
S Z H S B I H X E T E W T H M E M O G V
I H F K T G E G T W F I N T Y B R Y E F
V G U I S W S B F B L E X O S D J S R T
D H N T N A I Y O E O H W L B R D P I C
L R S I T I M N S D T B L C U Y C B B A
L D A P H L S A D T Z F B L E I A B U M
R A Y W I C E H D I H N C I Q N H P Y B
Y P W E I N A U I C N R R A N G R L W R
X P R N I N R E M N H G E S N S Z A U I
W N B L O N G B L Q G O A A Q D J O Y C
F Q M F Q M G E I B F E F I D W O A J V
```

26. SPORTS PERSONALITIES

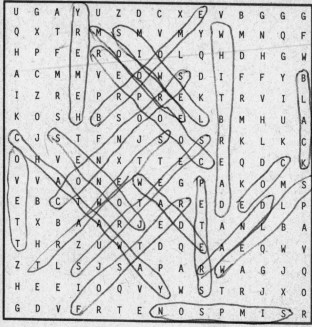

U	G	A	Y	U	Z	D	C	X	E	V	B	G	G	G
Q	X	T	R	M	S	M	V	M	Y	W	M	N	Q	F
H	P	F	E	R	O	I	O	L	Q	H	D	H	G	W
A	C	M	M	V	E	D	W	S	D	I	F	F	Y	B
I	Z	R	E	P	R	P	R	E	K	T	R	V	I	L
K	O	S	H	B	S	O	O	E	L	B	M	H	U	A
C	J	S	T	F	N	J	S	O	S	R	K	L	K	C
O	H	V	E	N	X	T	T	E	C	E	Q	D	C	K
V	V	A	O	N	E	W	E	G	P	A	K	O	M	S
E	B	C	T	W	O	T	A	R	E	D	E	D	L	P
T	X	B	A	R	J	E	D	T	A	N	L	B	A
T	H	R	Z	U	W	T	D	Q	E	A	E	Q	W	V
Z	T	L	S	J	S	A	P	A	R	W	A	G	J	Q
H	E	E	I	O	Q	V	Y	W	S	T	R	J	X	O
G	D	V	F	R	T	E	N	O	S	P	M	I	S	R

BLACK
BROOME
CHATAWAY
COE
CONNORS
COOPER
FOSTER
HEMERY
JONES
LEWIS
MOORE
OVETT
PETERS
RAND
SIMPSON
STEWART
SURTEES
WADE
WELLS
WHITBREAD

27. PROTEINS

BEANS
CHEESE
EGGS
FISH
MEAT
MILK
NUTS
OFFAL
POULTRY
SHELLFISH

Q	N	W	B	I	K	P	S	P	J	U
L	R	X	V	D	O	G	F	J	P	Q
K	A	O	M	U	G	Q	Y	C	S	U
K	W	F	L	E	Y	T	H	H	R	C
O	L	T	F	M	D	E	E	B	X	C
R	R	I	E	O	E	L	M	E	I	A
Y	O	A	M	S	L	C	A	A	E	U
H	T	E	E	F	S	F	D	N	F	B
V	O	H	I	X	I	T	T	S	S	Y
C	T	S	R	S	D	J	U	P	Y	F
Y	H	P	H	E	D	U	A	N	Z	I

135

28. WHAT'S ANOTHER YEAR?

ANNIVERSARY
APRIL
AUGUST
BIRTHDAY
BONFIRE NIGHT
BOXING DAY
CALENDAR
CHRISTMAS DAY
DATES
DECEMBER
DIARY
EASTER MONDAY
EASTER SUNDAY
FEBRUARY
GOOD FRIDAY
JANUARY
JULY
JUNE
LEAP YEAR
MARCH
MAY
NEW YEAR
NOVEMBER
OCTOBER
PANCAKE TUESDAY
SEPTEMBER
ST ANDREW'S DAY
ST DAVID'S DAY
ST GEORGE'S DAY
ST PATRICK'S DAY
THIRTY
THIRTY-ONE
TWENTY-EIGHT

```
T R E B O T C O Y U I W Q Z
H Y Y A M Y W Y A D R I I P
I A A L W R B U D B Z P K J
R P F F G A O A G D I M U Z
T T E R M S N D N Q A L S Y
Y P B D F R F Y I L Y T M A
Z Y R A Z E I W X A X L E D
T C U Y Z V R O O I R Q H S
K A A E O I E A B Z B Y S K
S J R R T N N D U I S T Q C
E Y Y C D N I E R G G C T I
Y X A S H A G T W E U H X R
A A E D P Y H H O Y I S H T
Y D D R N D T R O R E Y T A
R A I N A O G J T F G A G P
C L D Y U E M Y A O I J R T
H K F S S S O R O N B Z W S
R B C D E N R D E Z U E P L
I N A A E U F E D T N A E P
S Y O X L R T E T T S A R O
T G U V I E C E Y S P A H Y
M Y L D E E N E K Y A O E M
A R A E M M I D E A I E O A
S Y N B N G B A A L C F X R
D R E I H U R E I R T N C C
A R I T C D J X R L P R A H
Y A D S W E R D N A T S Q P
R U N I A D S D I V A D T S
C P R E B M E T P E S R U H
```

29. THINK

Puzzle submitted by reader Miss W. Worthington, Newquay, Cornwall

ALOUD
CHERISH
COGITATE
CONCEPTION
CONJECTURE
CONSIDER
COUNSEL
DEEM
DEEPLY
DELIBERATE
DESIRE
ESTEEM
ESTIMATE

GUESS
INTEND
JUDGE
KNOW
MEDITATE
OPINE
PONDER
REASON
RECKON
REFLECTION
REGARD
REMEMBER
REPUTE

RESOLVE
SPECULATE
SUPPOSE
SURMISE
SUSPICION
TELEPATHY
UNDERSTAND
VIEW
WISH

```
D R J Z E G H M R J A Q N N O K C E R E
M E E T S E E E E D W E N I P O C I M S
Z G G T I D M T N F N Q V H T O A M T O
H A W P I E A S G S M A E Q U V E C Y P
S R Y T M L W F U I D Z T N R E H H W P
I D A B U D E S X R J Z S S D E T N E U
W T E C D B P R H W M E E K R A A P I S
E R E E P I J R U R L I S I P E F S V M
V P A U C X L E E T Y Q S E E S D N O P
S Z S I L K T D Y F C H L E D R Z N D N
D P O M N A N R J V L E C S D N I C U P
U N X O M O V Y E U T E J Y S Q E S V S
O O W I P L A G S P D Y C N L E M T E X
L F T E V L O S E R U G W T O P U T N D
A S R E D I S N O C A T E I I C E G Y I
E T A R E B I L E D L Z E S I O M E P S
H J Q J P C T L E T A T I G O C N H D D
Z A K P T N O I T P E C N O C J B Y Y P
```

30. IN REVERSE

ACCELERATE
ADVANCE
AFTER
BACKWARD
BEFORE
BRAKE
DECREASE
DEFLATE
DOWN
EBB

ENTER
EXIT
FAST
FLOW
FORWARD
HIGH
INCREASE
INFLATE
LEFT
LOW

PRESTO
PROCEED
PROGRESS
RALLENTANDO
REGRESS
RETIRE
RETREAT
RIGHT
SLOW
UP

```
E W B B E V O L B L C R S S R E L N O A
L J O B U J D W M H C P B R K B W F F J
E K C L I X A X V O U E U R S O L D A D
B Y J S S E R G E R F D S S D O E E S O
T F E L D C E I L O J C E X W S E F T E
R E T N E T G B R J C R E K A R B L T K
O L M V I R A E Z D G D O E U F W A R D
T O A O O E A E A O R G R S O D R T E M
L T K D D Z D S R K R C I F W E F E T D
B S N R V N L P F T N I T H L X O T F E
A E T E K A A H R I E H G E L V R Y A S
C R Q T S E N T J L H R C H E S W T O A
K P T I X E V C N Y G C W T T H A T I E
W L Q R I Y M C E E A Z A B U G R N H R
A H C E D X O U Q S L L I L U I D W L C
R V A X M F F B H F F L N U L H H T X E
D T D E E C O R P N Y N A X O Z Q P I D
T V F C O A V Y I X R I G R W C G E C Q
```

138

31. AIRY FAIRY

BAD
BEAUTIFUL
BEWITCHED
DAINTY
ELF
ENCHANTMENT
FAERIE QUEEN
FAIRY RING
FAIRYLAND
GNOME
GOBLIN
GOOD

IMP
MAGIC
MYTHOLOGY
NYMPH
OBERON
PIXIE
PUCK
SALAMANDER
SMALL
SPELL
SPIRIT

SPRITE
SUGAR PLUM
SUPERNATURAL
SYLPH
TINKERBELL
TITANIA
TOADSTOOL
TOOTH FAIRY
WAND
WILL O' THE WISP
WITCH

```
R X S W W F F S F C P M I C R Y C J T W
O M P Q T K K A E R J I Q F W I B I L O
A U R E H L U F I T U A E B G E R O B N
Y L I L S C G P S R I Y L A W I O E E Z
U P T F U C T S Z Y Y G M I P T R E X F
E R E L P W I I A G O R T S S O U H A D
D A Y L E Q T W W O N C I D N Q T I R K
M G G E R D A E D Y H O A N E P R V E S
Q U O P N C N H N E R O M I G Y K L D H
Z S L S A L I T D C T I R E L N L S N H
X J O A T M A O M N H E A A D E I H A P
N Y H M U L Z L I W A A N F B N P D M M
E W T C R O K L H F Y D N R H L A P A Y
L C Y W A K B I Y T A E E T Y T E W L N
G L M S L O T W N J V K I S M P O K A H
O S A Z G C Y I V G N D O X P E U O S K
U C O M I X A X B I O A D C I B N C T V
D A U N S D C P T D F B G I V P C T K E
```

ANALYSIS
ATONAL
BASS
CADENCES
CHORDS
CHROMATIC
COMBINATION
CONSONANT
COUNTERPOINT
DIATONIC
DISSONANT
DORIAN
INTERVALS
INVERSION
KEY
LINES
MAJOR
MELODY
MINOR
MODE
MODULATION
MUSIC
NOTATION
NOTES
OCTAVE
ORDERS
PARSIFAL
PLAINSONG
POSITION
PROGRESSION
RHYTHM
ROOT
SCALES
SOUND
THEORY
TONE
TUNING

```
S Z M V O X E M T G M Y E F
E C L A F I S R A P R V L C
N I N A I R O D Y H A W E O
O T K Y F D L O Y T E R N U
T A J M N E N T C S A W O N
E M S U Z O H O E L M B T T
S O S S X M I L I R M N S E
T R A I C I A S O T O I V R
N H B C L C A N R I A T S P
O C N C S I I N T E L T E O
I C P W J M N A A C V C O I
T I R L D P N E I L O N D N
I K C O A I H N S N Y I I T
S U V A B I T W S V A S D I
O N Z M D E N O V T X F I I
P M O P R E N S O I Y E K S
P C A V A A N N O K N T S K
W A A J N P I C O N P N D V
M L R T O C Q D E R G A R M
S D D O A R F A O S U N O K
U K I G O T E G G K O O H M
M C F Y U T R B G I L S C E
O C N N U E O Q T K D S G L
S S I E S Z I A Y N M I I O
K N H S W R L R U P O D X D
G E I X Q U O O B N D Q R Y
I O B L D E S O T F E R S F
N A F O H I S R E D R O T L
V B M T T L J W L A N O T A
```

33. SAINTLY PUZZLE

AIDEN
AMBROSE
ANDREW
ARNOLD
AUGUSTINE
BENEDICT
BERNARD
BRUNO
CECILIA
CLARE
CLEMENT

COLUMBA
CRISPIN
CUTHBERT
DAVID
DENIS
DUNSTAN
FRANCIS
GEORGE
JAMES
JEROME
JOAN

KILDA
MARTIN
MODAN
MUNGO
NICHOLAS
PATRICK
PAUL
SEBASTIAN
TERESA
URSULA
VALENTINE

```
U I A O U Z M A V C N Z P O N C D L V O
P E M O R E J E O A X I S A S A F J A A
A E G R O E G Y N J L I T T T H D V C Q
U N A O J W E A V I C E C R I R D O A X
L O U A R K I M B N T I N D A A I N M W
N F C Y F L B E A E D S D T V M D C L Q
D M J U I M S R B E R G U I I R H O K N
T J Y C T O F A N S N N D G E N E X D E
T O E C R H P E A N E A A W U N E C U D
S C G B R P B L U H I N I R L A S H N I
E E M N E I U E Q S Y C T T D K S J S A
A A M R U S S F R P S W H B S T D F T H
D B A A R M D P U T A A T O N A M P A C
H L M U J E A E I Y N E D E L Z B M N A
C L J U N E D L O N R A M L C A T E G K
H G M I L T M I Y E I E X M I Y S M S G
V W S H X O M C S T L Z J X E K X D M X
Y I O K W E C A S C T Q K O N U R B J W
```

141

34. NORTH SEA OILFIELDS

```
P  E  V  N  Q  N  K  F  W  E  D  S  W  F  F
E  N  E  E  Q  E  R  Y  G  N  Q  I  K  O  L
L  A  D  I  W  I  K  T  O  P  K  F  R  R  L
T  I  R  B  G  S  M  M  J  H  B  T  C  O  Y
S  N  O  G  O  J  O  A  G  M  I  P  E  K  G
I  I  F  U  G  L  J  U  G  E  Z  K  J  N  R
H  N  W  T  J  N  O  N  S  N  O  T  Z  N  A
T  F  A  N  H  R  A  D  A  F  U  U  B  E  K
G  D  R  K  E  L  J  T  I  O  H  S  U  P  M
I  S  C  R  A  Y  R  S  R  A  U  Q  C  I  Y
O  Z  D  F  T  R  K  E  Q  A  P  B  H  V  B
S  C  I  J  H  E  A  R  P  V  T  R  A  Q  B
I  O  G  E  E  B  K  J  P  I  Q  U  N  H  S
X  T  N  A  R  O  M  R  O  C  P  C  I  I  A
E  L  N  G  K  N  R  E  T  S  K  E  R  E  Z
```

ARGYLL
BERYL
BRUCE
BUCHAN
CORMORANT
CRAWFORD
EKOFISK
FORTIES
FRIGG
HEATHER
LOMOND
MAGNUS
NINIAN
PIPER
ROUGH
TARTAN
TERN
THISTLE

35. ON THE FLOAT

BOTTLES
BREAD
BUTTER
CHEESE
CRATES
CREAM
FRUIT JUICE
MILK
YOGURT

```
K  M  T  T  E  W  D  P  W  E  Y
L  L  X  Z  C  T  M  Y  L  O  B
I  O  E  N  I  S  A  V  G  T  E
M  B  L  F  U  A  E  U  Z  S  Q
C  C  L  K  J  E  R  T  E  F  B
G  N  Q  R  T  T  C  E  A  U  A
P  G  F  Q  I  D  H  Q  T  R  N
F  P  O  V  U  C  A  T  K  V  C
P  T  Y  D  R  Z  E  E  N  J  X
F  T  W  G  F  R  I  E  R  N  H
S  E  L  T  T  O  B  U  G  B  N
```

36. ALL PALS TOGETHER

Yak Yak Natter Natter

ASSOCIATION
BODY
CHOIR
CLASS
CLIQUE
CLUB
COMMITTEE
COMPANY
CONGREGATION
CREW
CROWD
DEPARTMENT
FAMILY
FEDERATION
FORM
FRATERNITY

GANG
GUILD
INSTITUTE
LEAGUE
ORCHESTRA
PACK
PARTNERSHIP
PARTY
QUORUM
SCHOOL
SECT
SIDE
SOCIETY
TEAM
TROOP
UNION

```
D U O N R H J P Y B R F L E I C I I P G
B G O R O I T X A J H M H D Q W B P A N
O C L J C I O N F R T O S I Y O U O R A
D O P C X H T H E E T J N S N F L O T G
Y M O L B H E A C M D N Z H B O C R Y H
D M D I H I R S G T T E E V S F I T V Y
E I W Q K T G Y T E C R R R C K N B N
C T O U J U T V L R R A A A S U D Q U A
R T R E I E D E P P A G T P T H J Q L P
M E C L I L A Y H W N E N I E I I E O M
R E D C O G L J U T R G M O P D O P P O
O I O O U I M F C N P A U U C K T N P C
F S H E M S L E I A Q H N U R D S B X B
B C M A T N S T C S O E K P W O C Q F G
S W F Q S M Y K B W K W N F F E U Z K C
S S A L C N O I T A I C O S S A R Q C R
K S Y O E X S O P K R O M A E T C C T H
N B F F C L P E L X W E T U T I T S N I
```

1. Begins a spell
2. It's evil
3. Witch's vehicle
4. He performs tricks at parties
5. Group of witches
6. He was in the lamp
7. Spirit
8. False idea
9. A spell
10. Power to rise
11. Wonderful happening
12. Words having magic powers
13. Defies scientific explanation
14. West Indian magic
15. Male witchcraft

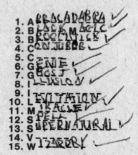

1. A ABRACADABRA
2. B BLACK MAGIC
3. B BROOMSTICK
4. C CONJUROR
5. C CENE
6. G GUEST
7. G GHOST
8. I ILLUSION
9. I
10. L LEVITATION
11. M MIRACLE
12. S SPELL
13. S SUPERNATURAL
14. V
15. W WIZARDRY

A DOUBLE PUZZLE
Solve the clues to find the
list of words hidden in the
puzzle. The answers are
in alphabetical order.

H	O	Y	P	R	B	W	B	X	E	D	J	G	D	I
B	U	I	F	X	O	L	C	I	V	P	A	E	M	L
R	A	W	C	L	I	R	A	J	I	P	R	N	I	L
O	L	E	V	H	N	U	C	B	A	B	I	R	U	
O	I	A	H	N	C	E	E	J	K	E	A	E	A	S
M	W	T	R	E	A	V	D	D	N	M	D	O	C	I
S	I	L	Q	U	N	I	T	I	E	O	A	X	L	O
T	Z	B	W	B	F	T	B	Z	V	S	G	G	E	N
I	A	O	B	O	A	A	M	J	T	G	A	L	I	M
C	R	C	L	R	T	T	N	P	G	O	R	I	W	C
K	D	P	S	I	I	V	R	O	P	B	G	C	C	
L	R	C	E	G	O	O	D	D	E	M	A	O	N	H
X	Y	V	P	F	N	N	H	O	Q	P	V	P	T	T
J	O	N	S	T	S	O	H	G	U	E	U	H	J	U
K	Z	Y	C	H	V	R	W	L	N	I	I	S	Y	W

37. BEYOND BELIEF

144

38. BRIGHT SPARKS

F B L R G L R Y K F R Q K M
E R P A T N U S T E E P X J
G D A P I P I C A I C A G G
X E O E G C E C I A E T Q K
X T J N Z E I D R D P R X I
S N W E X B T D A E T U H X
V E O T K T D N U Y I A J D
Z L R R Q E S H S J V P D R
A A B A E T U T S A E N V W
E T H T D N I M R E T S A M
K R G I P R A H S Z S D S I
X E I N P T V T Y U H H B H
L F H G D P D E O O Y U J W
N L I L S C V I H A S Y C I
D E Y N N A C A T T T A S S
W C Y T T I W R L E L H A E
E T Y S D E G E M C U P G P
R I X U U T L G U M X O A K
H V J R E V E L C D O K C P
S E I D D L A S E K C S I U
Q M Q H I T A S A C U S O N
G Z O T I S A N U P T H U D
Y X D N N I C E O I I U S I
Y N G U B E A E W I N E A T
B K I N J C D C R J T E N L
J K U A P R Z U U N S A G T
A F T H R N D U R T I N R D
S D Y V B B X G H P E N G Z
P L U F T H G U O H T T G U

ACUTE
ADEPT
ASTUTE
BRAINY
BUSTLE
CALCULATING
CANNY
CLEVER
DISCERNING
GENIUS
HIGHBROW
INTELLECTUAL
JUDICIAL
JUDICIOUS
LUCID
MASTERMIND
PENETRATING
PIERCING
PRUDENT
PUNDIT
RATIONAL
RECEPTIVE
REFLECTIVE
SAGACIOUS
SAPIENT
SHARP
SHREWD
TALENTED
THOUGHTFUL
UNBIASED
WISE
WITTY

39. SOME MEDICINAL PLANTS

```
D R Z S G M E D S J C Q O R G A S S N I
R R E S L N C O T E V I R P V L S N E L
A W H O R N W H L C Y K E U Z I O O P A
T E J U Z K R F S S L T A C I M R Q N
S A D G B I S M U I T R U T S A N F R N
U C N W F A W S A D L R E P P E P F A E
M N I T T O R I E W L Q S R Y W N A G S
D U K G P N W B N R Q O R S V H U S W E
O T P J A A Q A W T C U G U A Q Y J O J
O M M W Z U R A L N E R I I E G K A R N
H E U D I V T S Y L O R E N R W E K T A
S G P N E E S P L E F I G T I A X I L I
K W C R R W P D E E L L N R A N M R T R
N E Y M O O I C H F Y T O O E W E P A E
O Z I R P W N C C G L X T W U E K A N L
M N R T F R A U A M D O G E E N N P S A
T A O U L P C N R O R W I U N R C D Y V
Y I W I P P H U O U Z Y R K M Z T R L I
```

MARIGOLD			SPINACH
MONKSHOOD	PAPRIKA	RAGWORT	TANSY
MOSS	PARSLEY	RHUBARB	THRIFT
MUSTARD	PEPPER	ROWAN	VALERIAN
NASTURTIUM	POPPY	RUE	WALLFLOWER
NETTLE	PRIVET	SAFFRON	WATERCRESS
NUTMEG	PUMPKIN	SAGE	WATERMINT
ONION	QUINCE	SENNA	WINTERGREEN
ORACHE	QUININE	SLOE	YARROW

40. GO-AHEAD

Puzzle submitted by reader

Mrs. T. Owens, Chelmsford, Essex

ACCEPTANCE
ADMISSION
AFFIRMATIVE
AGREEMENT
ALLOWANCE
APPRECIATION
APPROVAL
ASSENT
AUTHORIZATION
AVOWAL
CERTIFICATION
COMPLIANCE
CONFESSION
CONSENT

DECLARATION
GREEN LIGHT
GUARANTOR
NOD
OKAY
PERMISSION
RECOGNITION
SEAL
STAMP
SUPPORT
THUMBS UP
WARRANT
WELCOME
YES

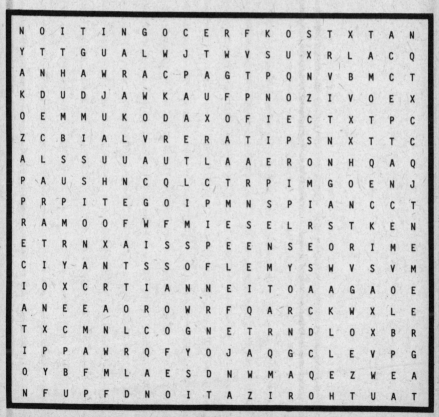

```
N O I T I N G O C E R F K O S T X T A N
Y T T G U A L W J T W V S U X R L A C Q
A N H A W R A C P A G T P Q N V B M C T
K D U D J A W K A U F P N O Z I V O E X
O E M M U K O D A X O F I E C T X T P C
Z C B I A L V R E R A T I P S N X T T C
A L S S U U A U T L A A E R O N H Q A Q
P A U S H N C Q L C T R P I M G O E N J
P R P I T E G O I P M N S P I A N C C T
R A M O O F W F M I E S E L R S T K E N
E T R N X A I S S P E E N S E O R I M E
C I Y A N T S S O F L E M Y S W V S V M
I O X C R T I A N N E I T O A A G A O E
A N E E A O R O W R F Q A R C K W X L E
T X C M N L C O G N E T R N D L O X B R
I P P A W R Q F Y O J A Q G C L E V P G
O Y B F M L A E S D N W M A Q E Z W E A
N F U P F D N O I T A Z I R O H T U A T
```

41. IN THE FAMILY

```
Z E W E H P E N Y H N F L E S
L H N R I U O B E X O N E I W
Z Z Y O N D R Z V S T Y S Q C
L A G C S O D Z I H O T Z E G
A K L U T W E N T I E Q F C X
R E T H G U A D A R N L A E S
U V E D P C Q C L B U L P I V
W R I N L D Z Y E B S E A N I
Q T S T E L P I R T A U O W T
J W W X P T N E R A P S H N S
R E I I R E H T A F P H O I D
Y B S F N L J H R E O E I S C
M B I B E S P G T B L R U U P
Z R E H T O M S T N U A C O E
V F Y I C E S U O P S J T C Z
```

AUNT
BROTHER
COUSIN
DAUGHTER
FATHER
HUSBAND
IN-LAWS
MOTHER
NEPHEW
NIECE
PARENT
RELATIVE
SISTER
SON
SPOUSE
STEPSON
TRIPLETS
TWINS
UNCLE
WIFE

42. KEEP IT SMOOTH

BUFF
CHAMOIS
FILE
IRON
PLANE

PRESS
PUMICE
RASP
ROLLER
WAX

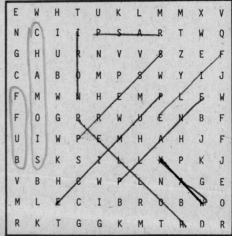

43. GET RID OF THEM

Puzzle submitted by reader Mrs. A. Johns, Blackpool

APPLE CORES
BITS
CAST-OFFS
CLUTTER
COMBINGS
CRUMBS
DEBRIS
DIRT
DOTTLE
DREGS
DUST
EMPTIES

ENDS
GARBAGE
GLEANINGS
HUSKS
JUNK
LEAVINGS
LEES
LITTER
LUMBER
MUCK
NONSENSE
PEEL

RAGS
REFUSE
RUBBISH
RUBBLE
SCRAPING
SCRAPS
SCUM
SEDIMENT
SHELLS
SWEEPINGS
TRASH
WEEDS

```
U T Y S R P S F G L S O V G M U C S I D
I S R K E H H S I L Y L R E T T U L C V
Y U N S G O S T Y R E X U Y P A H S U G
B D A U A I T F Z S G A A M P L Y B L R
E R L H B E R Y F Z G H N P B D I M E B
C M C T R F O U S O C E L I E E Z U E K
J H P M A Q D G B O T E R B N Z R R S I
T Z M T G O N O M B C S R D S G W C Z R
L S P Y I I T B T O I I A T E F S B E M
V H C Y V E I E R T S S R C D D T F U P
S E B A H N S E S Q L A H I I G U C Z G
D L E H G Q S D E N S E H R M S K E N X
E L N S Q G V P E H E J T I E S T I B F
E S S G N I P E E W S S K A N J P R B S
W I W W J E L L E E P Z N J T A U U D E
Q V I Y B Z V S Y Z V O U O R C S N C G
X E L B B U R S H R B O J C N Q E C C K
B H R P X S G A R V A L S N S P A R C S
```

44. WHAT A SAUCE

ALLEMANDE
ANCHOVY
APPLE
AURORE
BARBEQUE
BECHAMEL
BRANDY
BREAD
CAPER
CHEESE
CIDER
CUCUMBER
CURRY
HOLLANDAISE
HORSE-RADISH
LEMON
MADEIRA
MINT
MOURNAY
MOUSSELINE
MUSHROOM
MUSTARD
ONION
PARSLEY
PIQUANT
PRAWN
RUM
SHRIMP
SWEET AND SOUR
TARTARE
TOMATO
WHITE

```
N T T C N K P J X C F G C J
G W P R H T S M D T E L V C
T W A I P E U R M I E W Y M
V J D R R R E U Z M X D L A
I J J E P B S S A G N E A K
Z C D R M H N H E A A R P A
U I Z U R I C N R N I T X A
C P C O G E J B C E A O P G
X U O S B U R H D R L P K D
C M O D O Q O A T F L X D K
X C R N I V M A D E E X D O
E Z T A Y P R E G P M R J M
L V N T R E A N J R A N T L
Z R A E R Y Z R H T N X F J
R T U E U H N Y S H D M J B
Z L Q W C C A U B L E R M H
M U I S O N M U W D E L I H
H O P Q R O T A M O T Y S L
P Q U U E D A E R B D I P U
O W O S L E A K X Y D Q J B
W M E E S I A D N A L L O H
Q E U R K E R V R E I O L O
L Y Q O F P L E T V B Q P R
T Q E R R B S I P W U S M A
C F B U N R H W N A U V I P
B A R A O W H F V E C G R H
D L A H I D R J T N I M H Z
X K B N N G N U M E L T S O
J Z D R O O G M J L Y F W Q
```

1. Near the North Pole
2. Chewing
3. Type of beer
4. Barren
5. Snowstorm
6. Unpleasantly cold
7. Turning into ice
8. Unfriendly
9. Frozen rain
10. Slippery
11. Forcing a way through
12. Uncooked
13. Trembling
14. Half-frozen rain

1. A ARCTIC
2. B BITING
3. B BITTER
4. B - - - - - -
5. B - - - - - BLIZZARD
6. C CHILLY
7. F FREEZING
8. F FROSTY
9. H HAIL
10. I ICY
11. P P - - - - - -
12. R RAW
13. S SHIVERING
14. S SLEET

45. IT'S GETTING COLDER

A DOUBLE PUZZLE
Solve the clues to find the list of words hidden in the puzzle. The answers are in alphabetical order.

```
T  I  D  C  T  E  E  L  S  L  P  L  B  Y  V
N  Z  R  R  V  Y  C  U  K  I  U  L  J  L  T
O  S  A  C  A  E  U  H  E  E  E  S  I  E  U
A  P  Z  W  K  W  F  R  J  A  R  G  A  E  Y
L  Y  Z  J  T  T  C  O  K  Y  N  D  Z  A  V
D  Y  I  C  Q  I  V  L  F  I  G  G  F  R  H
I  G  L  B  N  Y  T  W  R  N  C  H  R  C  A
I  M  B  G  J  E  F  E  I  A  Q  X  O  T  I
C  V  W  V  L  C  V  Z  R  Y  C  V  S  I  L
S  X  Z  M  E  I  E  N  L  Z  L  F  T  C  G
J  F  R  O  H  E  N  L  Z  M  G  Q  Y  N  V
P  Q  R  S  R  B  I  K  X  U  P  D  I  O  O
Z  V  X  F  S  H  C  K  P  I  E  T  R  P  G
L  N  E  O  C  H  K  L  I  S  I  E  E  H  P
K  R  E  T  T  I  B  J  M  B  Z  M  X  M  L
```

46. ALL A MATTER OF SCIENCE

ACID
ALKALI
ANALYSIS
APPARATUS
ATOM
BACTERIA
BASE
CALORIE
CATALYSIS

CATHODE
CHEMICAL
COLLOID
CONTROL
CRUCIBLE
CRYSTAL
DENSITY
DIODE
DISSECTION

ELEMENT
ENERGY
EXPERIMENT
FISSION
FORMULAE
FUSION
HEAT
ISOTOPE
LABORATORY

LITMUS
MICROSCOPE
MOLECULE
NUCLEUS
REACTION
SOLUTION
SPECIMEN
TEST TUBE
VAPOUR

```
B X D A N N E C O C S F E A L U M R O F
I K Z T N L H N D U R S U E L C U N M A
N E S O E E E E M I E B A S H H R O O D
B Z M M M K T S X S P A K I E Y H L D
E D E I I M I E V A L S O C A O A H E E
B N C C Z L L K X H B A E C T Q N T C N
T A E S I S Y L A T A C T C S E N I U S
L P U A B B P C K Q I I L S T O R Y L I
S K F P N O A S D S O A A K Y I R I E T
D J I P L L M I O N B E C N Y R O C A Y
K I N A O B O T C O L E S A A G C N I O
D F C R S D O W R B W C B O T L R E V M
I X I A E P F A I L Z O L U L H Y E K D
O E C T E W T C N T Z N V F T U O S N K
L S P U A O U J B R G T X F B T T D I E
L Y J S R R T N E M I R E P X E S I E S
O X Q Y C I L A K L A O C M N G J E O F
C N N D N O I S S I F L R U O P A V T N
```

47. SHOOTING MAN'S LANGUAGE

BEATER
BORE
BREECH LOADER
CARTRIDGE
CLAY PIGEON
CURLEW
DECOY DUCK
DOUBLE LOADER
EIDER
EIGHTBORE
ENGRAVING
FIELDCRAFT

FLINTLOCK
GEESE
GROUSE
HIDE
MARKSMAN
OVERTHROW
PARTRIDGE
PHEASANT
PIGEON
PINFIRE
PLOVER
QUARRY

RABBIT
RETRIEVER
SHELDUCK
SHOT
SNIPE
SPANIEL
SYNDICATE
TEAL
WADERS
WILDFOWL
WOODCOCK

```
E P J L S K C O C D O O W B H F N D R N
F S J Y J Y C A X E R I F N I P K R N S
E F E C F T O L R N O E G I P E C M H C
T B Q E E L W Z A T Z H O N J P U A M W
A R O A G N I I T Y R M L E D I D R P B
C E L R B U F N L A P I S F W N Y K L G
I D T Q E R I R T D X I D H G S O S O X
D A L G L T E S E L F O G G E U C M V A
N O E N W N L E S T O O V E E L E A E T
Y L I I E A D G C L R C W E O L D N R E
S E N V L S C D J H Z I K L R N L U I K
R L A A R A R I W Y L W E T A T G G C T
E B P R U E A R E A Y O I V Q H H R G K
D U S G C H F T W Z D B A U E T I R H R
I O Y N S P T R Q D B E A D B R O D O H
E D C E G E Z A I A W R R O E U L J E W
V S Q A U W R P R E R R R S S R G R Z G
R E T A E B X E C Y U E R E T O H S Y P
```

48. NOT A LOT

ATOM
CRUMB
DEARTH
DROP
FAMINE
FEW
FRACTION
FRAGMENT
INFINITESIMAL
INSIGNIFICANT
LITTLE
MEAGRE
MEAN
MINIATURE
MINIMAL
MINORITY
MINUTE
MORSEL
ONLY
PALTRY
PARTICLE
SCANTY
SCARCITY
SCRAP
SHORTAGE
SINGLE
SKIMP
SLIGHT
SMALL
SOLE
SPARSE
STINGY
STINT
TINY
TRIFLING
TRIVIAL

```
B E R L D P X L L T Z P Q Y
E T U N I M A U N Q F Z P T
N S O N S I Q E G A C Y B N
R T T O V C M Z M V L G S A
L I E I R G A I F L T N C C
O N R R A D N R A P S I R S
B T Q R U E E M C J R T A F
A E F X W T S Z R I O S P R
D N K E R G A E M N T I O A
U J O P O R D I F N K Y S C
Z L J N I M L L N M A K V T
L M A T L L I V A I I E T I
C T V M Q Y T U G M M L M O
R E N J I V T G P M I L L N
U W L A C S L N M E P N E X
M M E G C D E O L I Y G I C
B O Y F N I A T J F A X D M
Z R C W Y I F B I T C E X L
K S C P S T S I R N A W G R
B E N A H Z I O N R I N V K
Y L P R D H H R T G I F Y L
B B J T Y S M H O L I P N K
R U T I N T G D F N S S S I
E E A C I C Y I A P I L N A
U E G L T W R R A M I M H I
V W K E W T F R T G S S E I
N G U B P F S J H L O K T T
D A O I R E E I P L A P L B
I C S M O T A O E X J P L P
```

49. IN THE GARDEN

Puzzle submitted by reader Miss M. Delaney, Knowl Hill, Berks

ALKANET
AZALEA
BOTTLE BRUSH
CAMELLIA
CRANESBILL
DAFFODIL
DAHLIA
DELPHINIUM
FOXGLOVE
FUCHSIA
GERANIUM

GEUM
GOLD DUST
HYDRANGEA
LAVENDER
LILAC
LOVE-IN-THE-MIST
LUPIN
MAGNOLIA
NASTURTIUM
OSWEGO TEA
PAEONY

PANSY
PERIWINKLE
PHLOX
POT MARIGOLD
ROSEMARY
SCARLET SAGE
SNOWDROP
SUNFLOWER
TULIP
ZINNIA

```
L O L S V Q S L L E B G N I D D E W F R
T U S V J T M U I N A R E G K X D D D I
M Y T W A N Z B R E D N E V A L M L Z C
G U R S E R E W O L F N U S A X O W R Y
E M I A I G D B K T T C N Z J G D S L S
U L M N M M O L E Z Q E A I I O I N B N
M C U I I E E T H Y D L N R P R T O P A
O P I S C H S H E P E A A A W U T W P P
P E T C A H P O T A A M F C K T L D H C
A R R A L Y A L R N T G A F L L Z R F R
E I U R I D I K E O I M O E O I A O I A
O W T L L R L A P D E E B L N D X P V N
N I S E T A O P I L A R V N D G I P D E
Y N A T U N N R L S U I I O L D H L Z S
Z K N S L G G I Y S H A L O L L U L E B
S L O A I E A X H V I C V H O P M S Z I
P E E G P A M U G M S E U X A J I O T L
Q N X E R K K Q W R G X I F W D G Q I L
```

50. ENJOY SOME

ALBAIDA
ALBARINO
ANINA
BALBAINA
CARINENA
CARRASCAL
CEBREROS
HUELVA
JUMILLA
LA NAVA

LEON
MACHARNUDO
MALVASIA
MANZANILLA
MARFIL
MIRAFLORES
MONOVAR
PANADES
PENAFIEL
PRIORATO

REGUENA
RIBEIRO
RIOJA ALTA
RIOJA BAJA
ROA
SITGES
SOMONTANO
TARRAGONA
TORO
UTIEL

SPANISH WINE

```
E A A T J F B B R C S R S L E I T U H A
M A O F L X J O P I A E I I H K F T A L
A H R A A W J R T V O A D H T N U A N L
R K C A N D H G O A N J T A K G D T I I
F C C F A G F N J O R G A L N I E K A N
I E A L V J O U G H N O I B A A Z S B A
L B Y S A M M A L D O Q I B A A P J L Z
G R O M E I R A E N Q D L R R J J G A N
L E M G L R C V A Q O A A A P R A O B A
F R C L A S O T O D U N R A H C A M I M
C O A T A K N L P V E M I A X Q M A T R
N S T R W O S E F N L A U R Y R N W P B
A O R E M P N M I A N M V P A I N D A X
M A E O X A Y R V E R V E M N B P R V N
C E S L F D A D U K G I O A P E L E L I
L N Z I M C K G T P E B M E I I W A E I
Y Z E X Z W E A I S A V L A M R Z G U M
I L N P O R O T M Z X U N U A O L G H J
```

HARDER PUZZLE SECTION

WELCOME TO THE HARDER PUZZLE SECTION
The following puzzles are more difficult. Usually there
are no lists to guide you. See how many words you can
find and then check your list with ours at the back of the
book. With some puzzles we have given you either a
partial list or a clue as to how many words are to be
found. We think you'll find these fun to do.

All the items here can have zip fasteners. You will find a SUITCASE, a HANDBAG and a MANICURE SET. There is also a TOILET BAG and a pair of DUNGAREES. Search for the thirty-two items hidden here.

51. ALL ZIPPED UP

```
T F P N D W J A H Y G U Q L Z I Q Y Q T
E E C E A V N E C A F U T I U S T E W E
L S C K N O V U R L N X I M Y F V V E K
L R B O R C I U L K H D K T S E U R C C
A U A A S O I A D C I P B A A B A A T O
W P K R T M D L A Q Y N C A K R S Z R P
F C P T E L E M C D G T I S G U C T G W
J L E Z O V E T U A N B K K A F C A V K
A S I H K R O N I E S I U L I A S T S J
C S O G A S G C M C R E S K R S R O C E
K P S C H A U U N T B H I D N H E I L A
E I A E R T C I Y O I A I N E O S L T N
T S P E R O B F T R I G G B O P U E A S
E H E R D D U A T C A H R E F P O T W B
R S X C B B Y A G N A B S W F E R B S O
T E S E R U C I N A M S N U F R T A W O
D B E S A C F E I R B B E S C X D G M T
Y Q H V Q R A K R A P S L L A R E V O S
```

52. PICTURE CLEANING

Take an old painting and have it RESTORED by the EXPERTS. They will SPONGE it gently and remove the DIRT that has ACCUMULATED over the years, and make the picture look like an ORIGINAL. Find all thirty-three hidden factors.

```
L W O H U R N D P U Y O E C E A E A C X
A A Q Y O X E H N P R S T N E V L O S T
L T Y E P R R D Y I L Q K P Y V Q H T V
V E X E O P E D G O T R K C S G A R Y F
N R N T R R A I W D L L E H S G G E B A
Y G S N N U N I E T V E D L F Q T J V P
R E I E R A L K N G H L F R Q Q U A R X
R E A S L E C O S S E I A I M U R V T H
T T V T E A L C O L T M N K N N P V N S
H S R E R D S I U W E A T N I K E E E T
N I W C A P O U N M N N K S E F N A M R
D Y S A O L Q K S I U O H I A R T H G E
K S O N B I E P D R N L T P N V I D I P
C V G A V S J D R U U G A T A G N D P X
I E T U T I T S B U S O A T O I E A I E
T D O O W V T J A L W T L S E C N E C E
S L P Q C O S M N H H N Y O N D R T A P
L A G E B W X O I P I A A S C Y P I P T
```

53. TRY NOT TO YAWN

Please don't treat this puzzle list as BORING or TEDIOUS. It will not be an IRKSOME task to find all the words, and you will soon feel less GLOOMY and WEARISOME.

A ---------	H -----	S --------
A ------	H -------	S -------
B ------	I -----------	S -------
C -----------	I ------	S -------
C ------------	M ----------	T -------
D ------	O ---------	T ----
D -----	P --------	U ------------
D ------	P -----	U ----------
D ----	P ------	U ------
F ----	R ----------	U ----
G ------	R -- o -t-- M ---	W ---------
H --------		

H S I G G U L S D P Y M O O L G Q L E J
M N R T P P E H S H U R P Y N L O R Y
D E A T R L Y P U C N L X W O U V D B R
L L C O M E A O F O B E E L D V P I M A
F A L A N U N I R Y V W L G Z O C S O N
T I N K L O R I N I E I B N M Q L M S I
X N C O T P G D T I M J Q I M A S A R D
K A E O I I N I M E M C F T U Q T L I R
H O N R N T T O H U O O Y S U T O I P O
L O U A E E N T M S H E U E N A L A C P
M E L T P F F E U M M R M R V B I P E T
K M J E N O F O V O O O F E A O D A T Y
G G R J N A I I S N S C R T R R H T I D
W C N U V D N K D I O A E N I I E H R W
Z M R I E O R G R N G C H I E N A E T O
W W B T R I B A A E I L X N D G V T O D
X F D K A I E L R T F C O U T J Y I P K
M I E C G W T H O D S Y R A E R D C L O

54. NATURE

Take a look at Mother Nature and find all the thirty-seven clues hidden in this puzzle. You can see the **BUTTERFLIES** and the **PLANTS**, and watch the **SNOW** melting on the **HILLS**. You will see many **COLOURS**, and enjoy the scent of the **FLOWERS**.

```
W  J  T  T  V  G  T  U  T  L  L  A  F  F  A  E  L  T  Q  V
O  V  U  R  M  F  Y  X  V  H  G  E  S  K  L  Z  H  H  E  U
N  P  S  T  N  A  L  P  S  M  G  N  S  E  S  I  J  G  U  Z
S  R  E  W  O  L  F  I  Z  K  F  I  V  H  E  R  N  I  S  F
X  Y  N  F  P  S  F  W  O  D  E  H  L  S  A  R  B  L  O  K
C  G  N  O  S  D  R  I  B  W  L  S  D  T  R  D  T  Y  I  X
Z  O  O  S  Q  B  S  S  I  J  P  N  R  B  A  E  E  A  L  X
D  S  L  Q  Y  T  U  N  Z  R  Z  U  X  N  K  C  V  D  Z  H
X  D  R  O  G  E  T  T  I  Z  G  S  O  S  P  B  J  I  I  V
I  N  R  F  U  E  Q  N  T  A  E  I  D  S  D  D  U  L  R  R
F  A  A  S  R  R  G  P  D  E  T  A  U  C  Y  L  L  D  J  N
O  L  I  W  U  X  S  S  D  A  R  N  T  S  S  S  E  G  S  M
O  D  N  U  T  M  E  S  N  K  G  F  U  S  L  D  J  I  W  U
D  O  N  J  N  A  M  R  N  R  E  G  L  O  E  A  R  A  F  T
M  O  K  E  S  D  E  E  O  N  X  Z  N  I  M  V  M  I  O  U
F  W  S  O  T  B  S  W  R  O  W  I  G  E  E  T  R  I  B  A
Z  T  N  F  I  S  T  R  E  H  T  A  E  W  G  S  N  A  N  E
S  S  W  H  W  H  C  U  J  H  S  T  C  E  S  N  I  H  H  A
```

55. CHEEKY

All the words in this puzzle are slightly SNOOTY and IMPUDENT. We hope you will not be BRASH or DISDAINFUL as you search for the thirty-two ARROGANT words hidden here.

```
W R M J K A H Y S S A R B N A L H F U X
S U N A E R A N G I T O S X U S K V C
N D K H L R U A T B M N R F A U H B B O
O E T J B O G H Y P E P N R O O G Q K C
O I X S I G H A E E M I U I Z S I N A K
T T S C T A T E R T A F R D S I W K U Y
Y S U W P N Y I V D A E R E E O Q Q T E
T L O D M T N A S I P C L A L N Q V V C
A A I Z E G Y I U M T E I F I G T I T D
U I T Q T F D J I D M A H L N L S D E B
N R P K N C I K H A A G C I E N I D V T
T O M N O O H A H D I C T O E D N M N Q
I T U E C F P S N H B L I F V A N E A C
N A B Z M F Y C B T U R F O H O L I Y F
G T R A M H W C P S R O A H U O R Q C J
B C D R N A D R N I Q E G S S S V P U L
J I G B V N T I N U L I P N H J N E A Q
R D F L W D C S F U H U I B H H O U S V
```

161

1. PEOPLE

2. QUITE SOMETHING

3. NUTS

4. SMALL.....

5. A FEW FLOWERS

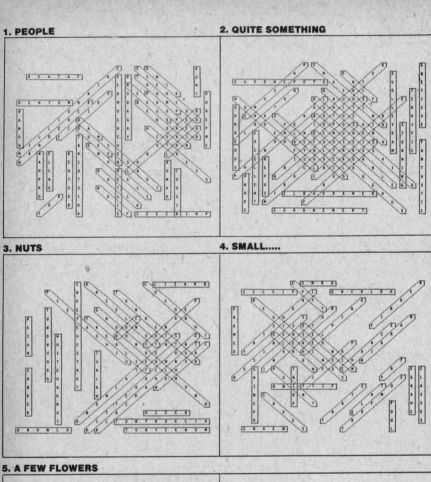

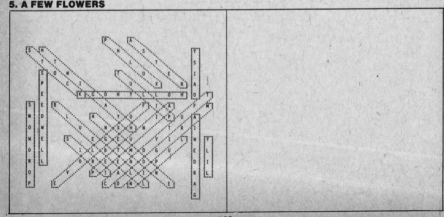

6. IN THE KITCHEN

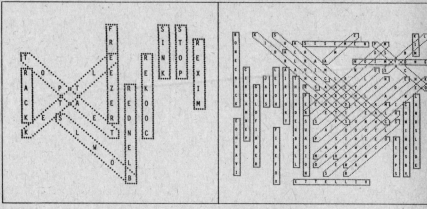

8. ONE WORD BOOK TITLES

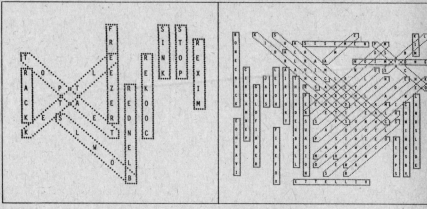

9. BBC

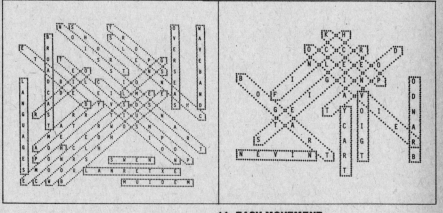

10. BEST ACTORS

11. EASY MOVEMENT

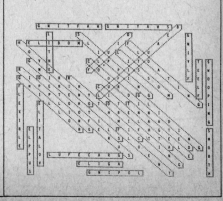

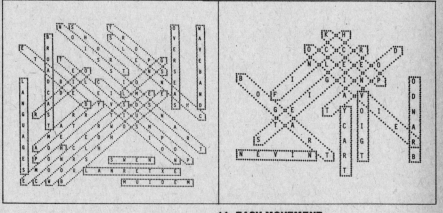

12. ON APPROVAL

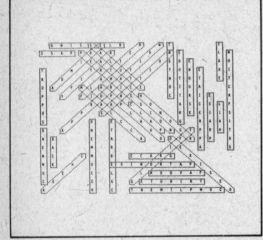

16. ACTION!

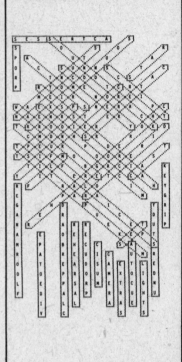

7. FIRST BABY

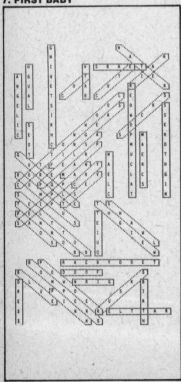

13. AN OUTING

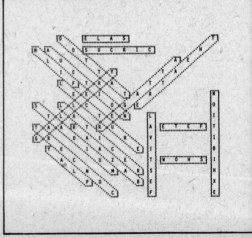

14. SUDDEN EVENTS

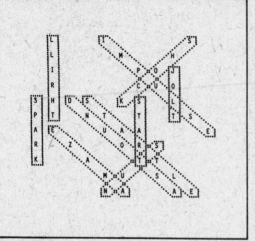

23. SO DRY

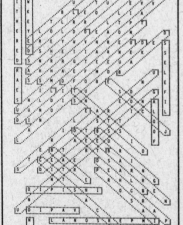

28. WHAT'S ANOTHER YEAR?

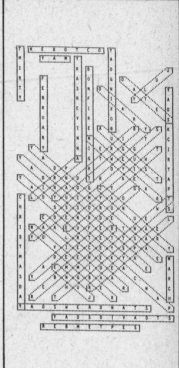

15. ROSE AND CROWN

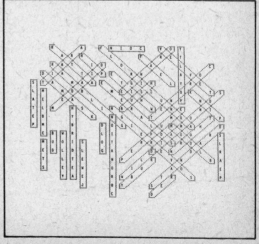

17. LET'S DANCE

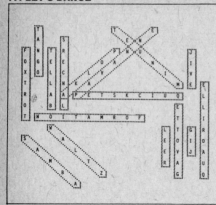

18. HOME-BREWING

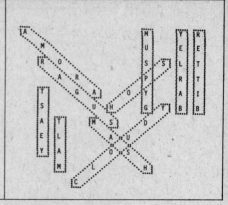

19. SEA PUZZLE

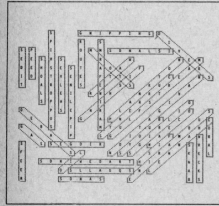

21. THE EXPLANATION

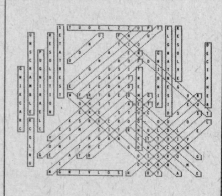

20. BELLS

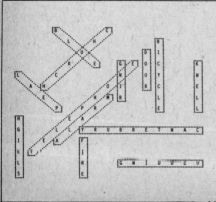

Alarm
Bicycle
Blue
Canterbury
Church
Door
Fire
Knell
Peal
Ring
Sleigh
Telephone
Wedding

22. NOT SO NICE

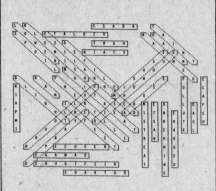

25. THE STORY OF LINEN

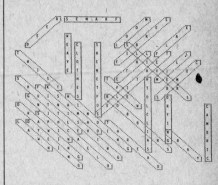

24. MEAT LIST

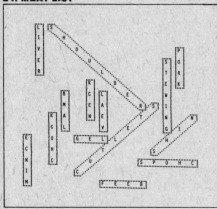

Beef
Chops
Chuck
Cutlets
Lamb
Leg
Liver
Mince
Neck
Pork
Shin
Shoulder
Stewing
Veal

26. SPORTS PERSONALITIES

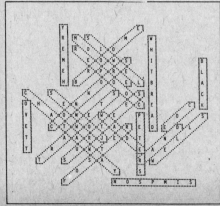

27. PROTEINS

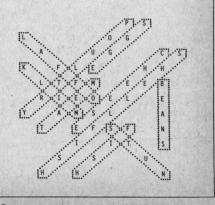

29. THINK

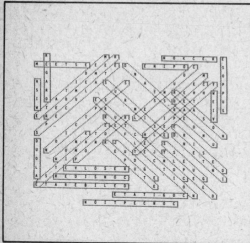

38. BRIGHT SPARKS

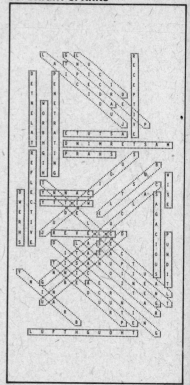

32. IN HARMONY

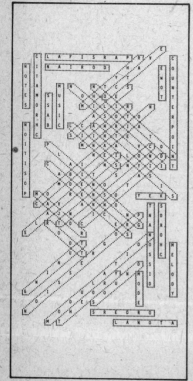

30. IN REVERSE

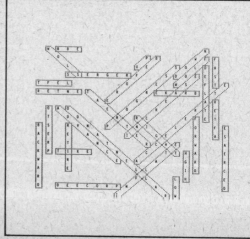

31. AIRY FAIRY

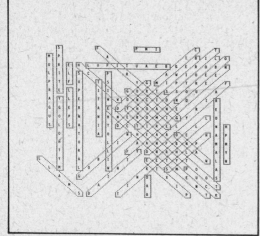

48. NOT A LOT

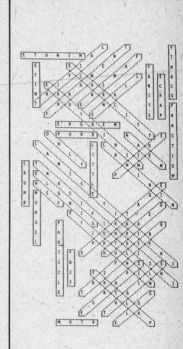

44. WHAT A SAUCE

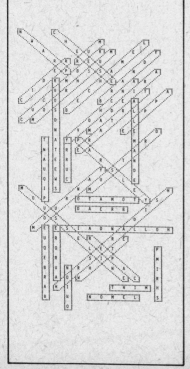

33. SAINTLY PUZZLE

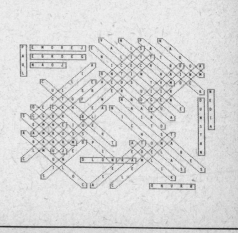

34. NORTH SEA OILFIELDS

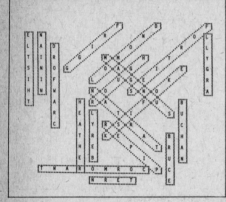

35. ON THE FLOAT

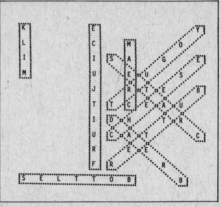

36. ALL PALS TOGETHER

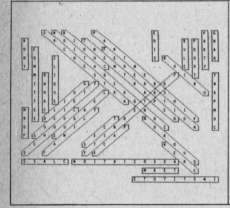

39. SOME MEDICINAL PLANTS

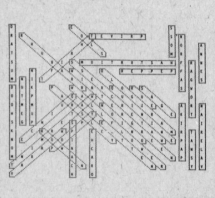

37. BEYOND BELIEF

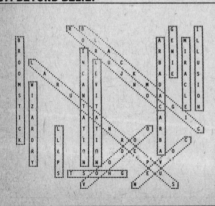

Abracadabra
Black Magic
Broomstick
Conjuror
Coven
Genie
Ghost
Illusion
Incantation
Levitation
Miracle
Spell
Supernatural
Voodoo
Wizardry

40. GO-AHEAD

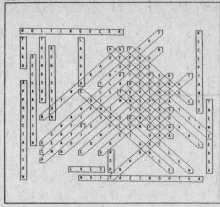

41. IN THE FAMILY

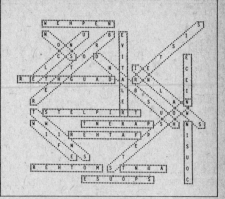

42. KEEP IT SMOOTH

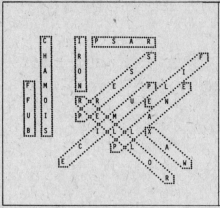

43. GET RID OF THEM

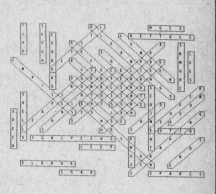

45. IT'S GETTING COLDER

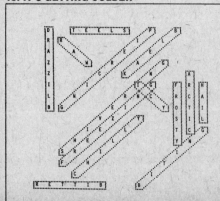

Arctic
Biting
Bitter
Bleak
Blizzard
Chilly
Freezing
Frosty
Hail
Icy
Piercing
Raw
Shivering
Sleet

46. ALL A MATTER OF SCIENCE

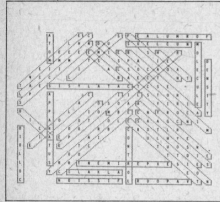

47. SHOOTING MAN'S LANGUAGE

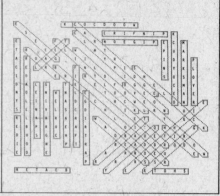

49. IN THE GARDEN

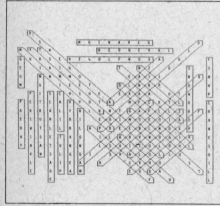

50. ENJOY SOME SPANISH WINE

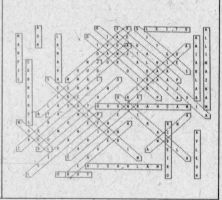

HARDER PUZZLE SECTION

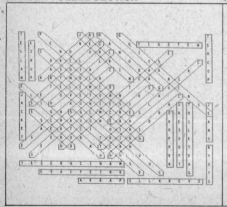

51. ALL ZIPPED UP

Anorak	Jacket
Boots	Jeans
Brief-case	Jerkin
Camera Case	Manicure Set
Cardigan	Overalls
Casual Shirt	Parka
Cosmetic Bag	Pencil Case
Culottes	Pocket
Cushion Cover	Purse
Document Case	Shopper
Dress	Skirt
Dungarees	Suitcase
Flight Bag	Toilet Bag
Guitar Case	Trousers
Handbag	Wallet
Holdall	Wet Suit

52. PICTURE CLEANING

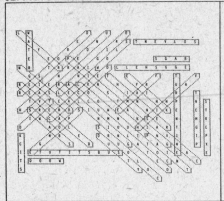

Accumulated
Canvas
Colours
Cotton Wool
Cracked
Design
Dirt
Dusty
Eggshell
Experts
Frame
Knife
Layer
Original
Painstaking
Paint
Pigment

Rags
Re-lining
Restored
Revealed
Slow
Solvent
Sponge
Stick
Substitute
Swabs
Thinner
Turpentine
Underneath
Varnish
Water
Wood

53. TRY NOT TO YAWN

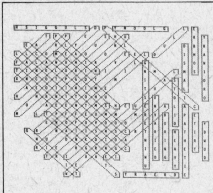

Apathetic
Average
Boring
Commonplace
Conventional
Dismal
Dowdy
Dreary
Dull
Flat
Gloomy
Hackneyed
Heavy
Humdrum
Indifferent
Irksome
Monotonous
Ordinary

Phlegmatic
Plain
Prolix
Repetitive
Run of the Mill
Sluggish
Sombre
Stagnant
Stolid
Tedious
Tiring
Trite
Uninteresting
Unoriginal
Unvaried
Usual
Wearisome

54. NATURE

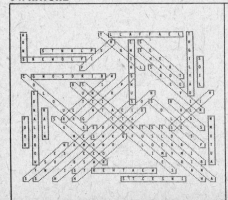

Animals
Autumn
Birds
Bird Song
Buds
Butterflies
Colours
Darkness
Daylight
Fields
Fish
Flowers
Food
Growth
Harvest
Hibernation
Hills
Insects
Leaf Fall

Light
Mountains
Nests
Plants
Rain
Rivers
Seasons
Seeds
Shade
Snow
Soil
Spring
Summer
Sunshine
Trees
Weather
Winter
Woodlands

55. CHEEKY

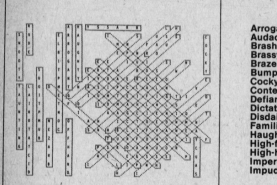

Arrogant
Audacious
Brash
Brassy
Brazen
Bumptious
Cocky
Contemptible
Defiant
Dictatorial
Disdainful
Familiar
Haughty
High-flown
High-handed
Imperious
Impudent

Indelicate
Insolent
Insulting
Lip
Off-hand
Offensive
Pert
Provocative
Rash
Rude
Saucy
Shameless
Sneering
Snooty
Taunting

174

SECTION FOUR

Answers to this section on pages 219–230

1. THINGS AROUND THE HOUSE

BATH TOWEL
BEDSPREAD
BOOKS
BOOKSHELF
BOOT POLISH
CLOTHES PEG
COAT HANGER
DUSTER
EGG TIMER
EIDERDOWN
FACE TOWEL
FLOWER POT
FRYING PAN
GAS FIRE

GRILL
HAND TOWEL
HOLDALL
LAMPSTAND
LIGHT BULB
NAIL BRUSH
PAPER RACK
PEPPERPOT
PICTURES
PLATE RACK
SPONGE
SPONGE MOP
STEEL WOOL
TIN OPENER

WALL CLOCK
WINE GLASSES
WORK BOX

```
O  Y  Q  R  W  F  R  K  M  O  R  Y  S  H  K  I  S  T  M  L
T  Y  Y  E  T  L  I  E  P  O  M  E  G  N  O  P  S  O  K  A
O  B  B  T  X  E  A  R  G  R  A  M  V  F  X  Y  S  P  C  M
P  O  L  S  V  H  D  T  T  N  E  W  D  T  O  Q  E  R  A  P
R  O  E  U  Y  S  A  I  V  I  A  M  L  C  K  G  S  E  R  S
E  K  W  D  G  K  N  J  L  L  O  H  I  L  I  R  S  P  R  T
W  S  O  E  A  O  P  X  L  I  A  I  T  T  I  Z  A  P  E  A
O  L  T  B  P  O  N  C  V  I  G  Y  G  A  G  R  L  E  P  N
L  D  D  E  O  B  L  A  P  P  M  H  D  K  O  G  G  P  A  D
F  A  N  R  E  O  G  E  P  S  E  H  T  O  L  C  E  L  P  K
M  E  A  W  C  L  T  S  W  G  X  E  V  B  Y  F  N  E  G  C
R  R  H  K  O  L  W  P  E  O  N  O  G  X  U  Z  I  W  A  A
S  P  Q  H  O  D  L  O  O  R  T  I  B  N  X  L  W  O  S  R
C  S  L  H  O  X  R  A  O  L  U  H  Y  K  O  Y  B  T  F  E
F  D  W  G  X  M  B  E  D  L  I  T  T  R  R  P  P  E  I  T
B  E  P  H  G  V  Z  W  D  L  V  S  C  A  F  O  S  C  R  A
F  B  B  Y  F  Y  Z  I  T  I  O  W  H  I  B  Y  W  A  E  L
H  S  U  R  B  L  I  A  N  Q  E  H  U  M  P  F  B  F  G  P
```

2. LET'S BAKE A CAKE

BAKING POWDER
BEAT
BLEND
BROWN SUGAR
BUTTER
CAKE CASES
CASTER SUGAR
CHERRIES
CHOPPED
CURRANTS
DECORATION
EGGS
FOLD
GROUND ALMONDS
ICING
JAM
LEMON JUICE
MARGARINE
MIXED PEEL
MIXED SPICE
OVEN
PLAIN FLOUR
RAISINS
RECIPE
SIEVE
STIR
SULTANAS
TABLESPOON
TEASPOON
WHISK
WIRE RACK

```
R U O L F N I A L P O K N T
G N I C I L E E P D E X I M
D R I T S Z W D E P P O H C
R L D Y E O I N I E N C B Y
A J O Y M L R O N C O M A S
G A X F W Y E I J Z O R K E
U O W V N Y R T E I P V I I
S K K T C A A A J T S E N X
N N L S G J C R I S A I G L
W U S R I I K O II Z E M P P
O R A E E H H C G P T T O F
R M A K I E W E A C A P W E
B S T G C R C D F E K R D Y
E U Y A U T R Q B K E K E X
S G G E B S R E T T U B R A
Z E R L O L R I H E Q G Q W
X J O V K M E E P C U D X E
P M U Q L I D S T K X W Y H
H E N A V X F N P S J Q Q J
J G D J S E U E E O A R G S
U S A J E D I G V L O C T E
F I L C S S U E D Y B N P S
J I M O A P N O X P A I I M
A E O V C I E H W R C E A C
M L N T E C K E R E V L B A
G A D Q K E D U R E G N A C
O E S C A V C S N I S I A R
X T Q J C S A N A T L U S X
U Y H N E C I U J N O M E L
```

3. IN THE LOCAL PAPER

ADVERTISE
AS NEW
BETTER DEAL
BOX NUMBER
CASH
CHEAP
COLLECTION
COMPLETE
DELIVERED
EXCELLENT
FOR SALE

GOOD CONDITION
HARDLY USED
ITEMS
LOCAL NEWSPAPER
MANY ACCESSORIES
MUST BE SEEN
NEAR OFFER
NEARLY NEW
NEEDS ATTENTION
NO DEALERS
OFFERS
ONE OWNER

PHONE
PRICE
QUALITY
QUANTITY
QUICK SALE
SECONDHAND
SLIGHTLY DAMAGED
UNDER FIVE POUNDS
UNWANTED GIFT
WORKING ORDER
WORN ONCE

```
G W U U N T R N R E B M U N X O B H A P
E R E N S E S O O Z E R E F F O R A E N
C C E N D L E G E I A X S N P B Z K L U
N D H P S E I D O L T D C R O Y S F A O
O E N E A A R G S O W C V E E H U R E N
N S P E A P O F H A D E E E L F P X D E
R U U D E P S V I T T C N L R L F Y R O
O Y N V K S S W Q V L T O Y L T E O E W
W L W E X N E F E U E Y E N L O I N T N
H D A T E O C B O N A P D N D R C S T E
W R N E L D C H T R L N O A T I A I E R
Y A T L A E A O S S S A T U M I T E B A
T H E P S A Y G E A U A C I N A O I N L
I Y D M K L N G N L C M L O T D G N O E
L E G O C E A W E C I R P E L Y S E I N
A A I C I R M M E J D E R E V I L E D T
U T F L U S D N A H D N O C E S M E T I
Q B T N Q S R E D R O G N I K R O W I R
```

179

```
E R A L F H H E R Z I Y T U A E B B C V
Z T U O R P S C A M W N Z X E D R K G I
Y H E O M X J N D Z O J C V K I W E Z S
P S B X M Z W E I V R T I A L Q N G J U
E I E M G X E C A A G R G L N T L F E C
T R P M J N K S N C H E I P H D F I V U
A U R D I I I E C T O A O G E F E O R O
N O O P Z R H R E H N L I R C T E S U B
I L S S E P P O E C J E O S S M M P C A
M F P S G R H L E W H E J U E W I E Y E
R U E E M D F F I H O A M Z R R T A N Z
E T R N W N H E C R B L T X O I G K R M
G N F I D Z H E C E C U F R L B N E E K
U Z U L X Z S K Y T J B R V F Y I G D N
E D O E X D U H P D I T L G F O R D N U
S Y P V X G L K J R A O V U E F P H E R
O H O O K P F W O L G Y N O S O S Y S I
I X V L M Q M O S S O L B V M H N Y S Z
```

4. BLOOM

BEAUTY
BLOSSOM
BLUSH
BRILLIANCE
BURGEON
COLOURING
EFFLORESCE
FLARE
FLORESCENCE
FLOURISH
FLOWERING
FLUSH
GERMINATE
GLOW

GROW
HEIGHT
HEYDAY
INCANDESCE
LOVELINESS
PEAK
PERFECTION
PRIME
PROSPER
RADIANCE
REDNESS
SPRINGTIME
SPROUT
THRIVE

5. YACHTING

ABAFT
ABATE
AFLOAT
AFT
ANCHOR
BACKSTAY
BARREL
BOATHOOK

BOBSTAY
BOOM
BULWARKS
BUOY
CAISSON
CATSPAW
CAULKING
CENTREBOARD

CLEAT
COURSE
CURRENT
DINGHIES
FAIRLEAD
FIDDLE
FLANK
FORE

GAFF-RIGGED
MAINSAIL
MAST
RACING
RIGGING
RUDDER
SPINNAKER
STERN
TACKING
TILLER
WIND

Puzzle submitted by reader Mrs. W. Morgan, Pontypool, Wales

```
D W B E B C G J E O B N R E L L I T S I
N P A O B A L N O S S I A C T A N E F R
I G S P A U C E C K F Y J F J G J L M A
W Y S E S T O K A U O A A K N Q X D N C
M G P H I T H Y S T R R I I B L L D P I
K J I V Z H A O Q T D R K R A U Y I E N
Y F N F G C G C O E A L E F L W Y F W G
G B N C C E T N G K U Y L N B E E J L T
J E A Y B N Q G I A U O G X T R A I C R
W B K R Z T I V C D A N I C O B A D O O
Y O E T R R J M L T I A C F U S M T J H
S O R J F E B T I G T G D L N T R S K C
A M H F K B L O G X N N N W I F S E A N N
H B A N W O Q I B I Z A A A U T D M O A
D G A L H A R P K S R M B G E D D E J D
D L X T F R D C W K T A H E S R U O C J
F X D B E D A Q S I K A M V T U R R O O
N R E T S T Y O Z B F E Y L V D W A D N
```

181

6. COME TO THE END

```
F H Y I O P I T U Q K N F D H
L O E T A N I M R E T U W R Q
I Q D A C M R S S V R O W X X
T E O U H L A A O Q I I M E E
I C Y T I M E R T X E S P I M
M M F N V C N Y O D F U G X A
I D C U X T E B F Z Z R U C E
L P L F N N J U E I P C O O C
A M X I D E E D F F N E G M B
B M O I C G U F D C S A K P A
I P N T D L P Q C C Z S L L T
X G N E C R A F R W L E T E E
H S U N I M R E T A P D I T X
K C O C R Q U F O C L I U E H
N C E N G X Y G B K F V Q P R
```

AIM
CEASE
COMPLETE
CONCLUDE
EDGE
ENDING
EXPIRE
EXTREMITY
FINALE
GOAL
LIMIT
OBJECT
POINT
QUIT
SURCEASE
TERMINATE
TERMINUS
TIP

7. SWITCH IT ON

BLENDER
DRILL
DRYER
HEATER
IRON
KETTLE
LAMP
SAW
SHAVER
TOASTER

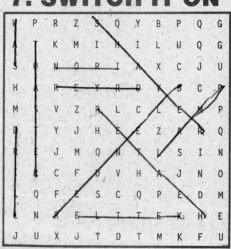

```
V P R Z 3 Q Y B P Q G
A K M I H I L U Q G G
S O N O R I A X C J U
H A R E Y R D Y B C D
M S V Z R L C L E M P
D T Y J H E Z A R Q
R E J M Q N T L S I N
I C F D V H A J N O
L Q F E S C Q P E D M
L N R E L T T E K H E
J U X J T D T M K F U
```

8. A LACY PUZZLE

Puzzle submitted by reader Miss A. Boyle, Portsmouth

ANTWERP
BLONDE
BOBBIN
BONE
BRAID
BRUSSELS
CUSHIONS
DECORATIVE
DELICATE
EMBROIDERY
FABRIC

HANDKERCHIEF
INWROUGHT
LINEN
MACHINE
MATS
METAL
NEEDLE-POINT
NOTTINGHAM
NYLON
OPEN-WORK
ORNAMENTAL

PATTERNS
PILLOW
PILLOW-CASE
PINS
PLAIN
POINT
TABLECLOTH
TAPE
THREADS
TRIMMING
VENICE

```
Y I N D G M I S L E S S U R B P U U P X
L O G E E C Y U X U D E M X N I O S G U
A X Z L P S F H K N P C H Y P N W Z E V
T I S I M M A R I A E J L T H S X N N R
E M K C T A O C T G L O H Q A E H I I S
M E A A D W D R W A N G K D N M T B H P
T I Y T N W I L T O U W E O D B O B C S
H U J E S M K N I O L C B H K R L O A F
R D P P M P E M R N O L C L E O C B M C
E O I I A M N W A R E U I E R I E F T I
A S N A A T N I A H S N C P C D L B B R
D G M N R I T T A H G I Z B H E B L A B
S Z R P W B I E I L N N X I I R A O N A
R O J S I V H O R E P C I K E Y T N T F
Y M B H E L N U V N V E J T F C J O W E
T N I O P S L M F N S I N X T H D E E B
G T T J T N I O P E L D E E N O M Y R H
I E E S B W G N W F K O K J W R N U P P
```

9. HE LEARNS

```
R  C  O  O  V  J  L  X  G  B  T  S  I  N  U
R  E  E  R  M  E  C  I  S  A  U  K  D  G  X
O  A  T  Y  Z  O  Y  S  P  N  F  I  S  Y  Y
I  A  P  T  N  Z  B  O  M  U  S  U  R  O  A
N  T  R  V  O  R  B  U  A  C  P  E  B  H  Q
U  Y  E  X  O  W  L  W  I  E  C  L  T  S  B
J  R  N  H  U  A  S  P  T  R  O  N  S  B  O
T  I  N  T  G  U  L  A  U  O  E  R  S  E  O
L  Y  I  P  V  E  M  I  H  D  P  O  C  C  K
O  L  G  V  K  S  T  C  U  N  K  H  H  I  W
W  J  E  X  S  C  S  T  B  U  W  N  O  V  O
S  A  B  A  K  U  S  G  A  P  H  E  L  O  R
L  D  L  B  S  B  E  Y  H  R  O  E  A  N  M
D  C  E  E  N  I  A  R  T  J  J  R  R  J  Q
R  F  N  A  M  H  S  E  R  F  H  G  U  G  O
```

ALUMNUS
BEGINNER
BOOKWORM
CLASSMATE
CONVERT
CUB
DISCIPLE
FAG
FRESHMAN
GREENHORN
JUNIOR
NOVICE
PUPIL
RECRUIT
SCHOLAR
SCHOOLBOY
STUDENT
SWOTTER
TRAINEE
TYRO

10. REFINE

BETTER
ENHANCE
FINISH
IMPROVE
PERFECT
POLISH
REFORM
TRAIN
UPLIFT

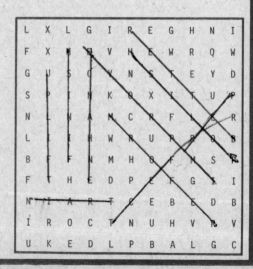

11. 'HIGH TIME'

```
S  C  N  A  C  W  N  R  T  W  Y  O  A  S  X  B  Z  U  K  C
F  F  S  M  E  A  M  O  A  I  D  Y  W  S  B  L  F  U  M  G
L  L  F  U  B  Y  J  D  O  T  D  W  Z  S  A  B  J  O  F  D
Y  Y  L  O  O  H  C  S  S  N  L  E  W  N  R  E  T  A  W  Y
E  V  H  B  A  W  A  E  J  T  J  A  D  X  C  C  K  R  B  R
R  H  A  I  Z  L  I  N  H  I  V  S  K  L  O  T  S  V  Q  K
E  I  N  T  I  R  O  K  N  L  V  H  J  L  C  H  V  E  T  Z
I  G  D  F  P  S  T  K  A  Z  Q  F  O  L  A  G  D  X  A  Y
J  M  E  X  A  L  S  R  E  S  R  U  E  R  L  I  H  P  N  S
M  Q  D  E  F  D  I  D  T  E  R  M  B  L  S  L  I  L  A  R
F  G  R  J  W  M  U  I  Q  E  N  T  O  Z  B  E  P  O  F  E
Z  T  G  O  D  T  R  U  D  C  C  E  P  R  F  A  D  S  B  P
M  V  R  A  I  I  E  W  O  O  H  E  J  H  B  E  T  I  L  P
B  B  W  T  P  N  E  U  M  C  H  R  T  E  D  A  M  V  A  E
U  H  L  S  C  Q  R  M  R  J  O  T  P  N  X  Y  L  E  O  T
L  A  Y  Y  O  T  A  U  P  A  I  S  I  M  E  N  T  L  M  S
I  P  S  F  C  N  H  D  D  D  Q  M  W  H  U  C  U  H  J  Y
R  Q  Y  M  D  C  S  Y  A  D  V  C  W  L  J  J  C  X  U  D
```

ADMIRAL
ALTAR
ALTITUDE
BALL
BROW
CHURCH
COLOURED
COMMAND
COURT
DAYS
EXPLOSIVE
FLYER

FREQUENCY
HANDED
HORSE
JINKS
JUMP
LANDS
LIFE
LIGHT
MINDED
NOON
PRIEST
ROAD

SCHOOL
SEAS
SPIRITS
STEPPER
STREET
TABLE
TEA
TIDE
TREASON
WATER
WAY

12. PASSING THE MESSAGE

Puzzle submitted by reader Mr. D. Kirkland, Lossiemouth, Scotland

ALDIS LAMP
ALPHABET
BAIRD
BIBLE
CABLEGRAM
CALENDAR
CAXTON
CUNEIFORM
DALTON
FILM
LANGUAGE

LETTERS
LINOTYPE
LUTHER
MAPS
MICROPHONE
MORSE
MUSIC
NEWSPAPER
PAPER
PARCHMENT
PHONOGRAPH

PRINT
RADIO
SCIENCE
SCRIPT
SEMAPHORE
SIGNS
SPEAKING
TELEGRAPHY
TELEX
WIRELESS
WORDS

```
N K W B M L I F P T L A G U R X E L E T
C J R M I D O M E A H T P I R C S M P K
U A N A R B A T N G N I K A E P S E C B
O P X I X L L G O E P Y T O N I L S S B
I C A T S G U E N Y Y M W Y C E H R Z U
D B A I O A M R O F I E N U C W B O I S
A R D L G N L Z Q S D R O W K G Q M S N
R L Z E E T V Y H P A R G E L E T E P O
A M W D E N E R E P A P S W E N L H Y C
U T C G R Y D B Z M S Y T N S E O Z I T
H T L F O Q S A A Z Y N O C R N S S F N
K L E K H M R T R H E H I I O T U J D Z
U U T C P A F G C M P E W G S M N A U R
T T T X A T R O H O N L R H W N L I E M
D H E T M A J C R C B A A K B T G P R A
H E R G E L R C E Q P M N J O P A I J P
V R S O S A I Q W H Z O F N U P P H S S
O B V K P M T J U M A R G E L B A C U N
```

13. DROP

ABANDON
CEASE
COLLAPSE
DECLINE
DEPOSIT
DESCENT
DISCHARGE
DISMISS
DISTIL
DOWNGRADE
DRIBBLE
DROPLET
FOUNDER
GIVE UP
GLOBULE
GRADIENT
INCLINATION
LET FALL
LOWER
LURCH
PARTICLE
PEARL
PERCOLATE
RELEASE
RENOUNCE
SPECK
SPHERE
SPRAWL
STUMBLE
SURRENDER
SWOON
TOPPLE
TRICKLE
WEARY

```
U J Q C A V U S U A O T M H
F F Z B D M V W I W N K I D
E Y B S S I M S I D Y K S M
E L L H L E E U M Q W T S P
F Q P U Y L Z L Z R U P Q Z
G P R P B R O A E M R E N D
E C A B O W E D B A S O T G
H T I R E T N L W A O B A I
X R A R T E E L E W X B N V
D X Q L R I T C S A A T G E
Q B Z R O R C H H N S R T U
L V U B I C D L D T U E C P
A S F C B E R O E N X N V L
O C K L P G N E R E M O E T
I L Y O W R Y O P C I U A X
E P S I Y A E Z U S W N I W
D I R W R H J D E E E C N Z
T E K D A C D U N D O E C F
F X C S E S E C O U P U L T
C Y Q L W I E L O E O R I N
P S D O I D H Z Q C E F N E
E D A R G N W O D E R V A I
G Q L S O M E E W S E C T D
P L D L P P A L D P H B I A
E P O I A E L C M A P G O R
A X D B S F C E N L S J N G
R N F J U T T K T L R Y A K
L D P A Z L I E E O Y O R P
G L U X K O E L L C W H B J
```

1. Fine wool from a rabbit
2. Woollen cover on a bed
3. Woollen jacket
4. Wool that covers a sheep
5. A Channel Island?
6. A kangaroo?
7. Requires 2 needles
8. They are used for sewing
9. Woollen cloth
10. For baby
11. Most wool comes from this animal
12. Island to the north of Scotland
13. Rough woollen cloth
14. Done on a loom

1. A - - - - - -
2. B - - - - - -
3. C - - - - - - - -
4. F - - - - -
5. J - - - - -
6. J - - - - -
7. K - - - - - - -
8. N - - - - - -
9. S - - - -
10. S - - - -
11. S - - - - -
12. S - - - - - - -
13. T - - - -
14. W - - - - - -

14. TO DO WITH WOOL

A DOUBLE PUZZLE
Solve the clues to find the
list of words hidden in the
puzzle. The answers are
in alphabetical order.

R	D	J	A	Y	Y	B	F	O	E	G	H	E	U	J
H	N	B	W	L	Y	O	L	G	Q	R	Q	C	X	I
C	R	T	C	E	C	E	R	A	E	W	O	E	S	B
E	A	N	Q	W	A	E	S	P	N	G	D	E	W	W
D	S	R	W	V	S	V	M	R	R	K	Q	L	D	S
D	H	C	D	C	I	U	I	I	E	Z	E	F	N	H
W	A	W	Z	I	J	Z	K	N	N	J	A	T	A	E
H	W	N	V	B	G	N	X	F	G	Q	B	A	L	E
Z	L	R	G	H	I	A	T	W	A	T	N	Q	T	P
V	S	Q	T	T	L	A	N	N	V	D	Q	S	E	T
T	W	R	T	H	G	I	G	R	M	U	A	Y	H	W
Y	A	I	B	X	R	O	D	P	D	R	U	N	S	E
G	N	P	R	U	R	D	J	G	O	D	F	X	L	E
G	F	J	G	A	G	G	S	E	C	U	D	H	A	D
Q	Z	O	Q	G	F	S	E	L	D	E	E	N	N	C

15. TAKING CARE OF IT?

ACCOUNT	CREDIT NOTE	MORTGAGE	SIGNATURE
AUTHENICATE	DEED	PLEDGE	STAMP
BOND	ENDORSE	PROMISE	TICKET
CERTIFICATE	GUARANTEE	RECEIPT	VERIFY
CHARTER	INDENTURE	SEAL	VOUCHER
CODICIL	INSURANCE	SECURITY	WARRANTY
COLLATERAL	INVOICE	SHARE	WILL
CREDENTIAL	LEASE	SIGN	WITNESS

```
C A K V R S W T J S Y T N A R R A W V R
K O H H E N S H X W W E A P M A T S W O
L Q D S E G Y E G A B P L C L W X E E Z
S N B I W Q D Z N L U I C A C C T I R J
T E T A C I N E H T U A I Z I O T J A T
Z I K K B I Y T L Z I T G N N E U V H X
V L C O X F L G G P N W V T T G P N S P
T T N K I V Z E E E T O I A U S C L T S
Y D P R E X W R D V I D C A E B J A E T
L T E I M T U E X C E I R A E D L R N S
I V I Y E T R C E R F A L F G E D E D I
T J P R N C H A C I N C R W A J E T O G
C Z R E U A E N T T O V M S G A E A R N
G Y D L R C G R E P R U E V T Y D L S A
U N L T E I E E S I M O R P R D D L E T
I I E O S C A S Z F I J I G O W N O F U
W R X U E C N A R U S N I B M F C C N R
R I J F G R E H C U O V E H Q Q T S P E
```

16. GET RID OF THESE LITTLE PESTS

ANTS
BACTERIA
BED-BUGS
BEETLES
CARBOLIC
CLEAN
COCKROACHES
COVER
CREEPERS
DAMAGE
DISINFECT

DUSTBINS
EARWIGS
FIELD MICE
FLEAS
FLIES
GNATS
GREENFLY
LICE
MOSQUITO
MOTH
POWDER

RATS
RUBBISH
SLUGS
SPRAY
SPRINKLE
SYRINGE
TRAP
TREATMENT
WASPS
WOODWORM
WORMS

```
E H A W S V V O J V Q Q O S C C F P J P
W C V O V E L S K I I T C R F L J V X L
C C D O D J L D G E X M V U I E T C N N
B B Z D S I Y T A U W S F E E A O F H W
O S S W R I S R E T B R S D L N S P I T
T P T O E Q W I S E J D S X D S G U L S
I R A R G I R T N Q B S E T M Z N P C J
U A R M G E N P Y F P U R B I F O I A C
Q Y S S D A W D G R E E B F C V L L W O
S U Q W J G U A I M A C D K E O I G A C
O Z O H C S N N S T J F T C B C R I E K
M P R R T S K A M P L U R R E E R E G R
Z B I B U L C E T E S E A J E E G L A O
T X I R E B N N A S E C R N T N W O M A
X N V E M T B S F P M T F C I V O P A C
S J T V O K E I E V Z L A R K Q R A D H
L Y C O T B X R S Y Y D Y V R G M R G E
O F A C H T S S G H K S I I Z G S T Q S
```

190

```
W O C B R E T S Y O W F U K
I U L T X S E G N A R O U S
N U L N U T K E S O R B T Q
E S G R A J E R U Z A O A O
N E E R G T Q A Z P N M K P
C D L O G O M O A E A A M E
R E D N E V A L K N I P K A
X Q Y U Z N W A F T M P J C
N Q M E C Q B W O A M V Z H
W S C R N F H C K A M I Y S
H L F R J O I T H I O O G O
I K A A E R H O N D L L W Y
T F D L P A G T N I Z E A Y
E E I A L A M Y R W C T P P
J M P A N D R L R K O A S B
E Y Z Y F L L U E O V R Y Q
E E F F O C E L P M V I B H
C M G K G E M A S G A I M N
D S C R S N O R H H M R U B
E V C O E N N U A C N G A Q
X T N L R Y H T M I A B P C
I N A A A A Y A R S Q L Q T
E K Z L V R L N F P B X I V
Q J A Y O Y E N R I I I T L
Y J B H A C A T K C N E T Y
I U V E K M O N M E D D C Y
R Q G E B T I H A Z I W R L
E A N E N M P K C F G Q E Z
S E R N X O P R W F O L D P
```

AMBER
APRICOT
AZURE
BLUE
BROWN
CARAMEL
CHOCOLATE
CLARET
COFFEE
CORAL
CREAM
FAWN
GOLD
GREEN
GREY
HONEY
HYACINTH
INDIGO
IVORY
JADE
KHAKI
LAVENDER
LEMON
LILAC
LIME
MAHOGANY
MINK
MINT
NATURAL
NAVY
ORANGE
OYSTER
PEACH
PINK
RED
ROSE
RUBY
RUST
SAGE
SPICE
STONE
TAN
VIOLET
WHITE
WINE

18. CHILD'S PLAY

```
G L V K Y R S C W Z C L F W C
A J L Q V C U A A T K H E V A
V I S O B O C M M B G S C E R
B G A K D B A D L C T C D E S
I S Y S I F B L Y H Y O X M B
K A B K K T A N G M U O P T G
E W E A P B T U G C H T C R J
P L D T H U A L R H E E U A S
A T I E S R F A E L F R B I H
I S L S D U Y N T S K R W N M
N W S W S O R T M A I C L S F
T T N W N L A A X C G L A E I
S U A S B R R P K D C A U T V
J E P V L P I S O W X Y X E I
J N O O L L A B I T S U Z Z K
```

ABACUS
BALL
BALLOON
BIKE
BRICKS
CARS
CLAY
CRAYONS
DOLL
DRAUGHTS
JIGSAW
PAINTS
PRAM
RATTLE
SCOOTER
SKATES
SKITTLES
SLIDE
SNAP
TOP
TRAIN SET

19. AMERICAN INDIANS

APACHE
BLACKFOOT
CHEROKEE
CREE
CROW
HURON
MOHAWK
SIOUX

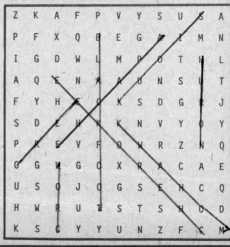

```
Z K A F P V Y S U S A
P F X Q B E G A I M N
I G D W L M P O T H L
A Q E N A A U N S U T
F Y H C X S D G R J
S D E H K N V Y O Y
P R E V F O W R Z N Q
G G U G O X R A C A E
U S O J O G S E H C Q
H W R U T S T S H O D
K S C Y Y U N Z F C M
```

192

```
B T E I C C H Y S R E N N I W Z Q F E K
B W D Q S K F A H T R G Q M E T W C B D
O E A L T I V I R P E P D E S W A P P D
O A R C A S R K N E O K W U L R H Z H E
K M A H D J C E K I C R C X J T I S C S
M P P A I G S N G H S N T I R N I N C X
A E E A U A R N S M A H A A T N E O X T
K L B T M R E E F E Z N C T I F R O S P
E R T S Z C N L Y D M K D F S E A F L R
R S J A K O I M Z H K I O L B I E O A O
X R S C K A A A O S O T T O E L D C I G
B U P E S T R I O R O U A Z Z R M S C R
S O A R N S T D V H R R N Z U U A E I A
T L R O E X X W P S D D U D F D N L F M
X O T F J T G O R C K M Q B S A E D F M
K C T S O P G N I T R A T S T M R R O E
L U J E B W W X K N S T A E H N J U B L
B V J B Y G F L S R E B M U N A N H G Y
```

20. GOING TO THE DOGS!

BOOKMAKER
COATS
COLOURS
DERBY
DISTANCE
FENCE
FINISH
FORECAST
GREYHOUNDS

HANDLER
HARE
HEATS
HURDLES
JUDGE
KENNEL MAID
LEADS
MUZZLE

NUMBERS
OFFICIALS
PARADE
PHOTO-FINISH
PROGRAMME
RACE
SCOREBOARD
STADIUM

STARTING POST
TICKETS
TIMES
TOTE
TRACK
TRAINERS
TRAPS
TROPHY
WINNER

21. BARRIERS

ALARM
BAR
BLOCKADE
BOLT
BOOM
BREAKWATER
BULWARK
BUNG
CORK
DAM
DITCH
DOOR

FENCE
FIRE
FORT
GATE
GLASS
GROYNE
GUARD
HEDGE
LOCK
MOAT
MOUNTAIN

OBSTACLE
PALING
PLUG
PORTCULLIS
SOLDIER
STILE
STOPPER
TURNPIKE
WALL
WINDOW
WIRE

```
H M E T A G W G N I L A P T V C K M L P
F C U L G B M A H U O K M W A R J A M C
K N T U C R Q O L H G Q G J A O S D X S
K Z A I I E I R U L H S H W E P M R B N
U R U Q D A H M L N X Y L S F A D J F U
D O D S K K F P R W T U Z R E P P O T S
R A R I C W E E O A B A K X E N B T J Q
N A W L O A E L N Y L W I J A I Y S U A
B I V L L T N K C C G A Y N F O H N I P
T L B U M E J M I A E R X H D W O N J E
S X O C M R G P B P T W O D N I W C B G
T I L T E W A F L L N S E X J V D L O D
I Q T R D A M R M U O R B D Y C O X U E
L U Y O L B S S A L G D U O W C O Y N H
E I O P U K S E D M E V C T K C T Y Z E
N R F N X T R I U R O U S A S R O B R Y
O M G H M I E Z I P L O D O O R M R N Z
M U R I W R R F M V P E B F G G P X K Z
```

194

22. CONCEALING SOMETHING

F	F	O	N	I	M	O	D	S	H	H	H	I	Z	B
D	Y	X	Z	Y	C	S	I	F	C	A	K	S	E	M
R	V	D	K	D	U	O	L	C	D	R	A	O	C	V
A	B	W	I	S	V	N	U	R	Z	F	E	Z	P	E
W	J	K	Q	S	R	J	U	A	E	R	A	E	L	B
E	S	Q	R	B	G	P	T	M	G	E	Y	O	N	K
R	G	M	M	V	U	U	L	B	J	V	H	X	O	C
A	W	F	K	H	J	C	I	U	N	O	O	C	P	R
N	T	O	O	R	P	W	Y	S	W	C	U	O	I	E
T	E	W	P	A	R	T	K	H	E	R	Y	O	T	C
B	S	B	W	S	U	A	I	K	T	L	L	M	F	E
S	O	L	C	V	O	K	S	A	M	I	G	J	A	S
J	L	I	W	L	G	V	I	H	D	E	J	B	L	S
F	C	N	C	W	Z	N	V	T	K	V	J	I	L	Q
E	Y	D	R	F	T	P	Y	R	C	S	E	S	P	X

AMBUSH
BLIND
CLOAK
CLOSET
CLOUD
COVER
CRYPT
CURTAIN
DISGUISE
DOMINO
DRAWER
HOLE
MASK
PITFALL
PURDAH
RECESS
SAFE
SCREEN
TRAP
VEIL

23. STICKY WEATHER

CLAMMY
CLOSE
DAMP
HUMID
MISTY
MOIST
MUGGY
STEAMY
STUFFY
SULTRY

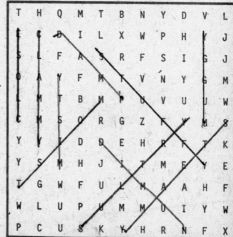

T	H	Q	M	T	B	N	Y	D	V	L
I	C	D	I	L	X	W	P	H	Y	J
S	L	F	A	S	R	F	S	I	G	J
O	A	Y	F	M	T	V	N	Y	G	M
L	M	T	B	M	P	U	V	U	U	W
I	C	M	S	O	R	G	Z	Y	M	8
Y	V	I	D	D	E	H	R	F	T	K
Y	S	M	H	J	I	T	M	E	Y	E
T	G	W	F	U	L	M	A	A	H	F
W	L	U	P	U	M	M	U	I	Y	W
P	C	U	S	K	Y	H	R	N	F	X

24. COVER-UPS

APRON
AWNING
BEDSPREAD
BLANKET
BLINDS
BONNET
CANOPY
CAP
CARPET
COWLING
CURTAINING
DISTEMPER
DUST-JACKET
EMULSION
HOUSING
LACQUER
LIDS
LINOLEUM
OVERALL
PAINT
PEBBLE-DASH
PLASTER
PLASTERBOARD
ROOF
SCREEN
SHELL
SHUTTER
SLATES
STUCCO
THATCH
TILES
VARNISH
WALLPAPER
WRAPPER

```
E N K C C K P K Q R E L J S
X C B W E A B K S Z C N U L
Y U T A G D R E T I X V D A
A A G L V U L P G J A U N T
N P U L N I Q T E R S O R E
C R C P T Z O C N T I T X S
U O A A W R V I J S G A Z Y
R N N P V D S A L Q W R L R
T N O E S H C U V N R L F G
A E P R Z K M K I J W P Z T
I E Y A E E G N N O L S H H
N R D T I C G L T A H S C C
I C C I F N F B S O A T T X
N S K L S Z T T O D V O A U
G J Y Q K T E C E N L K H F
K C P F T R E L O S N Z T W
X L Z L E D B M T W G E D Y
L W L T A B A U P M L W T P
Q I R E E S C E U E E I E A
L V F P H C T E R J R A N O
X A F H O S L E G P L D K G
A M C S O O W T R R S Z X P
L S V Q N U D R E B O D E T
O B H I U M S J A K O O E A
O L L U P E J I Y P N A F B
Y I P H T A R Y N E P A R J
D N X D Z T C E P G T E L D
C D L L A R E V O W Q A R B
D S S S D I L O R J V K L Z S
```

1. Small piece of land
2. Long thin sticks
3. Type of hat
4. Put potato peelings here
5. Cut short
6. Tool for making holes
7. Improves the soil
8. Gather in
9. Rubber tube
10. This will get rid of pests
11. They make you cry
12. Put very small plants here
13. They come in packets for planting
14. They move very slowly
15. Earth
16. Making more space for your seeds

1. A ---------
2. B ---------
3. C ------
4. C ------- H ---
5. C ---
6. D ----
7. F ----------
8. H ------
9. H -------
10. I -----------
11. O ------
12. S --- B --
13. S -----
14. S -----
15. S ----
16. T -------

V	P	N	S	I	W	X	L	I	O	S	S	Y	E	O
Q	M	H	T	N	V	Z	B	A	F	N	M	Y	R	U
W	T	X	C	S	U	G	E	T	O	L	F	X	R	K
W	P	V	R	E	H	W	A	I	X	L	H	Y	C	W
C	A	V	O	C	R	O	N	U	W	I	A	J	L	E
S	E	D	P	T	A	O	P	X	O	R	S	O	E	R
B	H	G	F	I	E	L	O	P	P	D	E	T	E	D
H	T	B	N	C	Q	T	L	F	F	P	L	Z	K	B
A	S	C	T	I	F	A	E	O	I	I	I	R	D	L
R	O	S	I	D	N	S	S	P	T	L	J	E	H	C
V	P	S	H	E	L	N	E	X	I	M	B	V	L	Q
E	M	W	E	I	X	S	I	T	W	D	E	O	S	X
S	O	N	A	E	O	X	R	H	E	X	C	N	B	L
T	C	N	F	H	D	E	V	E	T	H	E	N	T	R
F	S	R	C	D	F	S	S	T	E	W	C	Z	H	B

A DOUBLE PUZZLE
Solve the clues to find the list of words hidden in the puzzle. The answers are in alphabetical order.

25. VEGETABLE GROWING

26. AT THE VERY EDGE

BANK
BORDER
BOUNDARY
BRIM
BRINK
COAMING
CONTOUR
COPING
EAVES

EXTREMITY
FLANGE
FRILL
FRINGE
FURBELOW
HEM
HORIZON
KERB

LEDGE
LIMIT
LIP
MARGIN
MOUTH
OUTLINE
PIPING
RIM

ROADSIDE
SELVEDGE
THRESHOLD
TIP
TRIMMING
TRUNK
VALANCE
VERGE
WELT

```
G Q A E G N I R F G J J H L Y X P I L H
N O W T E D I S D A O R W D P Y B R E K
I A O B R G H T I F B Z A E D I C G T O
M Z L A X U K E R E G D E L L K P V G F
A J E G F H N H Q W B F L Z O L Y I H Z
O Y B H E V H K E G R E V W H R L M N A
C T R M I K X E G N A L F R S H C I B G
V W U Y T I M E R T X E F V E C V Y R F
Q G F G Z X D Z P B M T A M R D S V M F
Z Y E J H J N B R C O L L A H E R V I N
E A R T P U T I A H A G E E T R B O R N
U N U A T E N O U N N V G M W U A I B O
W O I P D K S C C I K L D R I O N O U Z
M D Q L T N O E M W M I E K Z T I O M I
U C L I T P U M V I D M V K R N G U O R
L A P T I U I O R A M I L L N O R X O O
L D Q N C R O B B O E T E W X C A S Y H
F H G P T C I N T E I I S K F Z M A C M
```

27. IN THE LIBRARY

```
F Y R S G N I D A E R O F J M
H T E R P S S M U Y E G E U I
D Z F G E Q T S R E T N U O C
S Q E N U S S S F V Q U F C M
E T R I Q I E F D S G I U N R
N V E A P D C R I A X U O W X
A T N K T H A A V C V I P J A
I E C E C R U T T A T P V V S
R N E L E I O T E A T I E I D
A Q A W A S T L M S L I O A R
R U I O O D K R L I T O O N A
B I T F H Y O O L E E A G N C
I R E M G F K Y O T Y N M U A
L Y E V N K V J A B E S I P E
O W T I S E V L E H S R M F W
```

BOOKS
CARDS
CATALOGUE
COUNTER
DATE STAMP
ENQUIRY
FICTION
FINE
INFORMATION
ISSUE
LIBRARIAN
QUIET
READING
REFERENCE
RESERVATION
SHELVES
TICKETS
TROLLEYS

28. ABOUT THE BODY

BLOOD
BONE
CELLS
FAT
FOOD
MUSCLE
NERVES
SKIN
TISSUE
VEINS

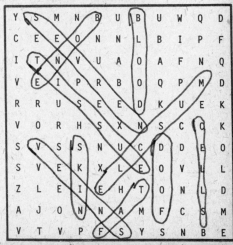

29. AMERICAN GENERALS

ANDERSON
ASHBY
BANKS
BRAGG
BUCKNER
BUELL
COUCH
CROOK
CUSTER

EISENHOWER
EWELL
FORREST
FREMONT
GRANT
GRIERSON
HALLECK
HAMPTON
HODGES

HOOD
JACKSON
JOHNSTON
KEARNY
LEE
LONGSTREET
MACARTHUR
MARSHALL
MEADE

MILES
PATCH
PATTON
PERSHING
POLK
ROSECRANS
SCOTT
SHERMAN
THOMAS

```
O T E G E S J N L K H G Z X H T G E I I
X O C D Z F K P N O S R E I R G T R D P
S V L F A G A N X Z U B S Y A P R O S E
E L J O O E G E A W D V B R J L E M C S
G P L A N Q M Y N B G H B D H A N H E S
D A H E C G L L A H S R A M N A K Y I J
O T N E W K S Z R A N Y H D K C C W S O
H T P L D E S T Y D P A E C R O U O E H
B O E K D P T O R I O R M O T L B M N N
H N R H I W N V N E S O S R L A A I H S
Q K S A F B O Y Z O E E H Q E C P M O T
G C H M S A M K N M C T F K A H K H W O
R E I P A U E C G R C O L R Y E S F E N
E L N T M O R V A O R O T C A M T T R D
T L G O O M F N U R P H U R C I L N E Z
S A E N H I S C E P U G N O O L V A Z I
U H U K T L H S D R D Y O O X E X R D D
C Z V Z L U T L L E U B M K S S H G Z M
```

30. SOUNDS FISHY TO ME

BARBEL	GOBI	ROKER
BASS	GRAYLING	SALMON
BIB	GUDGEON	SHANNY
BREAM	LAMPREY	SHARK
CARP	MACKEREL	SKATE
CHUB	MINNOW	SMELT
COD	MULLET	SOLE
DAB	PERCH	STURGEON
DACE	PIKE	SWORDFISH
EEL	PLAICE	TENCH
FLOUNDER	POLLACK	TROUT
GARFISH	ROACH	TURBOT
		WHITING

```
L I U L E E B I N R Z Z G G B G P M O A
G V I B E S E U N O E G D U G R O K M J
S H G C R C T S H J H H Y M N A L L L V
J M A I I O S U S C S B D Y L Y L E Z H
K D E A X C L K R A A O Z A S L A B W S
S B L L G I F E A G B O L Z W I C R H I
M P U L T B P K R T E D R E O N K A N F
K T T O B R U T R E E O F P R G R B Y R
L H R U A J E E A E K T N D D K B I B A
O F D O U O D A M M K C X H F H X H G G
L O H L U N T V S A X O A H I B D S O H
C M F C U T B A D A E G R M S E N Q B C
V L J O N S M X Z A W R N A H D H E I O
P S L J Y E R P M A L C B I Z K E W Q V
R F I G V K T X Q M F I T N T V E I B B
A R N O M L A S W O N N I M N I S K S C
C R D I Y N N A H S Z Z V Z O K H Z I V
B T E L L U M G Z E C S R I P S Z W M P
```

31. TRY AND GET IT

```
R H T N U H Z F U I T L V J O
C W K P C T B A G X R S I M G
D H C R A E S N X T A T G A P
Z G Q A H Y I E X L P D N C T
X F I G R R B B U L I H M S Z
S P I R I V G F K S A A T G D
J F A U C M T Z Y R R A R O R
E U Q B A S J D R W L U M T I
Q N N M E I C Y Z K O D P H V
I B J U F H M O Y F P D Y V E
L E Q X N D X F O X I E A D W
R D K R S N B L O C T C I H Q
G T U E S U L P X R G A U E S
V B E S Q O F H T O W R D R E
Z K A Z W H D F D X F U E A C
```

AIM FOR
DOG
DRIVE
FOLLOW
HARRY
HOUND
HUNT
INQUIRING
PURSUE
QUARRY
QUEST
RACE
SEARCH
SEEK
SHADOW
STALK
TAIL
TRAIL
TRAP

32. FIERCE

ANGRY
BOLD
BRUTAL
IRATE
MAD
ROUGH
RUDE
SAVAGE
VICIOUS
WILD

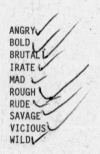

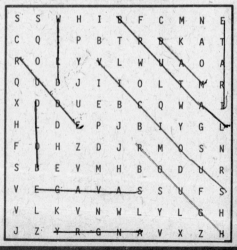

```
S S W H I B F C M N E
C Q P B T R B K A T
R O L Y V L W U A O A
Q U D J I I O L T M R
X D U E B C Q W A D
H L D E P J B I Y G L
F O H Z D J R M O S N
S B E V M H B O D U R
V E G A V A S S U F S
V L K V N W L Y L G H
J Z Y R G N A V X Z H
```

33. LIFE IN THE WATER

```
X T S J G G U J S L L I G N C S T P H Q
M R P D C Q D A W J X A O A E A W O P I
O Y I F R A O M S W K I R N H E E L D F
S L D M O E A A P Y S E O V N L W L N T
S F E T G R D I S O N T N E A F J U N T
G N R I I S S G R S S E J L L E H T J Q
H O S N S S M E I E D D S O A S P I J M
D G E M M H O A A N T O W T F K R O B L
P A P A O R P F J A G C O U I R E N S I
L R G Y K C I M K E N G A L O N O E H T
N D C F Q U C V Y P E F V B F P G G I F
A R I L C R I C E N M E B T F P D D S X
Q S E Y J R T L Y R R E A P O I E Z I Z
W O B F C E A V U Y E Y N S X S S Q V M
D N A S E N U I N Y H C K E Y P B H M O
S D R I B T Q F W N S O S E G G Q X D E
S G N I N W A P S U I B P R E S T W E N
Q Y G O L O I B V R F O B T N O I B S A
```

AQUATIC	FLEAS	NEWTS
BACTERIA	FLOODS	NYMPHS
BANK	FLOW	OXYGEN
BIOLOGY	FROGS	POLLUTION
BIRDS	GILLS	RIVER
CURRENT	LAKE	SAND
DRAGONFLY	LARVAE	SPAWNING
DREDGING	MARINE	SPIDERS
EROSION	MAYFLY	STONES
FERN	MOSS	TIDES
FISH	NESTING	TOAD
FISHERMEN		TREES

1. Sudden darkness
2. Drank to the last drop
3. Feeling of extreme tiredness
4. Weariness
5. Aching feet
6. Wearied by excess
7. Listless
8. Having to do too much
9. Descending slowly
10. Used up
11. Put through colander
12. Lose consciousness
13. Suffering from lack of sleep
14. Beaten with a stick

1. B - - - - - - - -
2. D - - - - - - - -
3. E - - - - - - - - -
4. F - - - - - -
5. F - - - - - - -
6. J - - - -
7. L - - - - - -
8. O - - - - - - - - -
9. S - - - - -
10. S - - - -
11. S - - - - - -
12. S - - - -
13. T - - - -
14. W - - - - - -

34. HOW LONG

L	O	D	P	T	B	H	U	N	O	N	Z	Z	E	P
S	A	V	L	Q	S	O	E	N	I	S	B	L	W	N
Q	W	N	J	C	H	P	H	U	I	A	D	O	H	Y
W	M	O	G	E	D	L	D	N	G	T	R	S	A	E
H	W	P	O	U	R	E	K	C	B	I	Y	T	X	F
Y	Z	K	J	N	I	I	R	L	F	T	T	H	S	A
I	W	P	G	Y	N	D	A	O	U	X	A	A	W	Q
W	P	A	Z	G	V	C	T	Z	S	U	H	Y	F	E
H	U	M	O	U	K	A	D	I	S	T	F	L	R	W
A	H	H	J	O	A	E	C	T	R	T	O	Q	Q	D
C	Q	X	U	F	N	P	I	D	A	E	H	O	G	W
K	B	T	N	I	T	O	T	U	X	I	D	B	F	Q
E	E	F	A	G	N	M	V	A	Z	T	N	E	P	S
D	N	R	D	E	K	R	O	W	R	E	V	O	F	X
G	D	N	Y	E	H	D	E	D	A	J	C	R	A	P

A DOUBLE PUZZLE
Solve the clues to find the list of words hidden in the puzzle. The answers are in alphabetical order.

CAN YOU STAND IT?

35. IMPORTANT

```
W  B  M  Z  D  N  T  O  C  S  M  A  U  U  Y
B  L  V  A  H  G  A  O  S  Q  S  Z  D  X  V
D  Q  T  M  J  E  Y  R  A  S  S  E  C  E  N
B  E  R  Z  M  O  S  P  F  O  A  T  R  L  H
L  X  C  G  V  P  R  S  G  C  L  X  A  X  D
B  A  C  I  L  E  N  U  E  W  H  T  W  U  M
T  P  I  W  S  B  U  O  Z  N  I  I  R  V  B
G  N  G  C  A  I  R  T  S  V  T  G  E  P  Z
E  N  U  S  U  R  V  N  U  E  E  I  I  F  L
I  Z  I  O  T  R  L  E  E  N  R  E  A  A  P
F  C  N  S  M  T  C  M  T  I  U  I  T  L  F
Y  Y  I  M  S  A  V  O  G  G  K  O  O  A  U
W  E  A  B  N  E  R  M  B  S  V  F  U  U  Z
S  K  M  N  E  S  R  A  C  I  L  K  G  N  S
E  Y  R  A  M  I  R  P  P  Z  G  F  V  D  X
```

BASIC
CHIEF
CRUCIAL
DECISIVE
ESSENTIAL
KEY
MAIN
MAJOR
MOMENTOUS
NECESSARY
PARAMOUNT
PIVOTAL
PRESSING
PRIMARY
SERIOUS
URGENT
VITAL

36. HOPEFUL

AUSPICIOUS
BRIGHT
CHEERING
CONFIDENT
FAVOURABLE
OPTIMISTIC
PROMISING
ROSY
SANGUINE

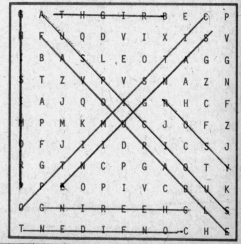

Puzzle submitted by reader Mrs. S. Grant, Manchester

37. WEALTH

ABUNDANCE
AFFLUENCE
ASSETS
BONANZA
COMFORTABLE
COOL MILLION
FORTUNE
FULL PURSE
GOLD MINE
HANDSOME FORTUNE
INDEPENDENCE
KING'S RANSOM
LARGE SUM
LUCRE
MAMMON

MATERIAL
MILLIONS
MINT
MONEY TO BURN
MONEYBAGS
OPULENCE
POSSESSIONS
PRETTY PENNY
PROPERTY
PROSPERITY
RICHES
SUBSTANCE
THOUSANDS
TIDY SUM
TREASURE

```
T N F Y K K M T H I S N N H J E F N X C
H O E C H A I Y R H I V Q W D S W N J O
O S C Q P S L N X E G R J Y A R B V T M
U N N C H S L R G I A M L E Z U N Y M F
S O A O O E I P E S A S C F E P F N E O
A M D Q I T O C R T R N U N A L N N P R
N M N O T S N L E O E A I R S L O E R T
D A U N P E S R A D P M N U E U I P O A
S M B G U U I E N R D E B S B F L Y S B
Y C A L F A L E S L G S R O O Y L T P L
S D F F L N P E O S T E N T A M I T E E
A F B Q H E H G N A O A S Q Y O M E R E
A O H V D C F O N C N P B U Q Z L R I Z
S R M N I Q M C M Z E S X G M H O P T L
O T I R E X E V A M U S Y D I T O J Y U
A U N R U B O T Y E N O M Q G Z C P H C
O N T W E N U T R O F E M O S D N A H R
M E L Q S G A B Y E N O M E H N L U B E
```

38. FIND THE ARTISTS

Puzzle submitted by reader Mrs. H. Simpson, Luton, Beds

AVERCAMP
BONNARD
BRAQUE
BRUEGEL
CEZANNE
DEGAS
DURER
GAINSBOROUGH
GOLTZIUS

GOYA
GRIS
HALS
HOLBEIN
LOWRY
MANET
MATISSE
MICHELANGELO

MIRO
MONET
ORPEN
PICASSO
RAPHAEL
REMBRANDT
RENOIR
ROMNEY

ROSSETTI
RUBENS
SARGENT
STUBBS
TURNER
VELASQUEZ
VERMEER
WARHOL
WHISTLER

```
X H X D E M T E N O M C Z E U Q A R B W
T U V C Y B R C O S S A C I P V E C B R
I W V X E J K J Z T N E G R A S G D E W
O A R W S Z S U I Z T L O G Q A E N H X
B L X P A N A T D H M R E S I A R I V T
H U E K M R I N D D J W U N V U P E S H
M C Q G S A H E N N Y V S B T X R Z L Z
J D M Z N I C O B E A B T I E M O E A L
J V T A I A R R L L O R G E E N Y U H X
T Y K A T Y L G E R O S B E N E S Q K C
E W I N T I P E O V T H R M N A W S N A
W L Z P E L S U H U A W D M E H M A P O
S E Y O S P G S B C U T O R I R P L W U
D A A H S H R B E B I R L S A N K E O C
O H G H O R S O R I M M T O C N H V Q M
V P T E R X N A Y O G L Q D W V N S M R
W A S R D L C L E G E U R B N R R O J D
S R L J R I O N E R E R U D F R Y E B N
```

207

```
Y T D N O S I B G N M
R W C N A S B U W J V
R W A L A P D E N E E
E L I C A L R A F R S
K A W E N I H L F S U
W Y V Q H A D G F E Z
F A H S L V I E I Y O
V G R Y M I J S V H H
J Y G N P K A Y I O L
A U L H C F I H Q R N
T K O H R G S G G M F
```

AYRSHIRE
BISON
DEVON
FRISIAN
GAYAL
HIGHLAND
JERSEY
KERRY
YAK

40. DEER

```
H R D T B R S H K V M A T Q M
G O G C S T G A J K B F M O Z
E N U G A R S N P S Q K O O T
D O I G D I E C I L Y S Z U E
R V S W U A O L E Z E A W T V
M O M D E O K V T N A M J Y L
N D W F S H B S A N T R O R E
Z X S O A U C I H Z A A G E V
K C D T L W O M R M N F C D N
L U T R S L N V C A D P O O Y
A U I E E E O X R K C M S O A
T C M X N H R F I E T I A D H
S X I V O V N O M G N B N S C
W J D D N S N N F E V I S Z I
Y F G Z W Y E U V V H W Q F G
```

ANTLERS
CARIBOU
CHEWING
DOE
FAWN
FOLLOW
FORESTS
GRAZING
HERD
HIND
HOOF
MOOSE
NERVOUS
RED
SCENT
STAGS
STALK
TIMID
VELVET
VENISON

41. BRITISH BIRDS OF PREY

BARN OWL
BUZZARD
CONDOR
EAGLE
FALCON
GOSHAWK
HOBBY
KESTREL
KITE
MERLIN
OSPREY

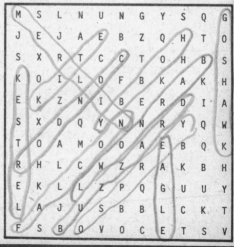

```
M S L N U N G Y S Q G
J E J A E B Z Q H T O
S X R T C C T O H B S
K O I L O F B K A K H
E K Z N I B E R D I A
S X D Q Y N N R Y Q W
T O A M O O A E B Q K
R H L C W Z R A K B H
E K L L Z P Q G U U Y
L A J U S B B L C K T
F S B O V O C E T S V
```

209

42. WELL-BUILT

ANNULAR
BEEFY
BLOATED
BRAWNY
BULKY
BURLY
CHUBBY
CHUNKY
CIRCULAR

FAT
FLESHY
GLOBULAR
OBESE
PLUMP
PODGY
PORTLY
PUFFY
RING-LIKE

ROTUND
ROUNDED
SPHERICAL
STOCKY
STOUT
THICKSET
TUBBY
UNWIELDY
WEIGHTY

P P O G I P E N Y J K Y L R U B P D A M
F Y B M P U Y C A G R O K O D E S T T C
K H E W L F E R I F D L C E L R C M A D
K S S C U F Z Y B R A O G H L V V S R F
E E E L M Y W N S C C I P L U R H O A D
J L P Q P E Y B I I T U S C O B R H T I
H F T J I Y F R M Z P Z L T J B B W K A
U G X G L H E Z Y R B O Q A O M U Y H D
Q O H T T H E W I L O R Q Y R C G L E H
J T R Y P A K N N U U E A S F Q K T A U
Y O K S X Y G Y F Y W D R W J G A Y T R
P T Y V B L K S L R D O N W N O F Q E V
A U J E I T Z N S Z O L E U L Y M H S L
T J E K N U T J U J J U E B T B X Q K X
C F E P F O U N J H J K N I A O Z Y C F
Y J Z H Q T B T U N C H D D W R R F I K
I C V P Z S B G Y I J F M C E N S H H Q
Y K L U B E Y R A L U N N A Y D U O T L

43. IT'S TIME FOR A PIANO LESSON

ARPEGGIO	INTERPRET	PEDAL	SCALES
CHORDS	LIGHT TOUCH	PIANO STOOL	SIGHT READING
CHROMATIC	METRONOME	PLAY AGAIN	SOFTER
EXAMINATIONS	MINOR KEY	PRACTISE	TEACHER
FEELING	NEW PIECE	PUPIL	THEORY
FORTISSIMO	NEXT TIME	RHYTHMIC	TOO FAST
HOMEWORK	ONE HOUR	RIGHT HAND	WEEKLY

```
Y D N A H T H G I R S M T N X E O C O X
R E T F O S G S D R O H C S M O H I D U
L N S A W G N Y E K R O N I M M M T H U
Y P S I T S A F O O T V T G L I T A U A
H C U O T T H G I L H T D H I S E M R H
C U U L E C W T T B X O X T P S A O F I
N J P P O X A R U E X A M R U I C R M G
A I T C X O A R N M V M I E P T H H T N
O W A O I J T M P A F G K A W R E C W I
N N X G E M A S I T W H V D I O R V D L
W E E K A M H R O N E X O I L F R P Y E
F S W H I Y O T P N A R W O N A K T E E
Y B W P O Y A N Y E A T P G E H R H S F
P R I R I U L L O H G I I R Z R B C E Q
Y E O P Q E R K P R R G P O E K K B L I
S Z D E G H C A E K T G I D N T A R A H
L B N A H C C E Z E W E Q O A S N N C A
X G S I L T B W D H W F M M W M F I S Y
```

211

1. Method of voting
2. Work table
3. Piece of furniture
4. Cautious
5. Electoral district
6. Discussion
7. Toil
8. Generous
9. Public declaration
10. Clergyman
11. Elected body
12. Course of action
13. First in rank
14. Change for the better
15. Meeting of Parliament
16. He presides over Parliament
17. Language

1. B - - - - - -
2. B - - - -
3. C - - - - - -
4. C - - - - - - - - - - -
5. C - - - - - - - -
6. D - - - - -
7. L - - - - -
8. L - - - - - -
9. M - - - - - - - -
10. M - - - - - - -
11. P - - - - - - - - -
12. P - - - - -
13. P - - - - - -
14. R - - - - -
15. S - - - - - -
16. S - - - - - -
17. S - - - - -

A DOUBLE PUZZLE
Solve the clues to find the list of words hidden in the puzzle. The answers are in alphabetical order.

```
W  B  R  R  U  O  B  A  L  S  T  J  C  Q  A
S  H  A  E  W  D  Z  G  P  N  N  N  G  U  S
H  T  E  L  F  P  I  H  R  O  E  K  P  J  T
S  I  Y  V  L  O  Z  X  E  I  M  H  H  M  Q
C  P  R  C  I  O  R  G  M  S  A  Z  R  A  P
Y  D  E  E  N  T  T  M  I  S  I  S  O  N  L
K  C  X  A  T  E  A  Z  E  E  L  D  O  I  I
T  M  I  G  K  S  U  V  R  S  R  J  Z  F  B
A  E  Q  L  H  E  I  T  R  L  A  G  S  E  E
R  Z  N  C  O  D  R  N  I  E  P  N  H  S  R
L  X  N  I  E  P  C  D  I  T  S  M  Q  T  A
P  E  R  B  B  D  G  D  V  M  S  N  V  O  L
B  N  A  K  E  A  L  J  Y  Y  M  N  O  L  G
D  T  Y  T  E  L  C  L  M  I  G  E  O  C  C
E  R  D  H  C  E  E  P  S  X  O  Z  I  C  U
```

44. POLITICAL

45. A GOOD SING-SONG

```
O H R H M J O L P X C Z S T D
I K L M D W U R R M O L B A O
E M C W Q L E L G N I J L S N
T H D O L L O R A C L L X D P
Z S X A R L W O J M A H U G V
P C B N C A O P K B M G A R X
G Y X S W R M B O T X O T E S
H P E P H O Z E Q P P E S E M
X C P L L H Q E H E T R Y X T
R F C S C C R D R T E D L N Y
J M I T A I T A K V N M Y H P
C I R Y L L T P R U N A E X D
C N O R O V M N W W O E L O H
X D R S G O R Y A Y S O D G R
E Z A Z G X P F O C Y T T I D
```

ANTHEM
BALLAD
CANTICLE
CAROL
CHORAL
DITTY
HYMN
JINGLE
LULLABY
LYRIC
ODE
OPERA
POP
PSALM
ROCK
SONNET
VERSE

46. BELLOW

BARK
BAWL
BLARE
BLUSTER
CLAMOUR
HOWL
RAGE
ROAR
SHOUT
TRUMPET
UPROAR
YELL

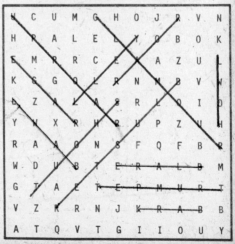

HARDER PUZZLE SECTION
47. AIRWAYS

WELCOME TO THE HARDER PUZZLE SECTION
The following puzzles are more difficult. Usually there
are no lists to guide you. See how many words you can
find and then check your list with ours at the back of the
book. With some puzzles we have given you either a
partial list or a clue as to how many words are to be
found. We think you'll find these fun to do.

**Enjoy a good flight as you search for the thirty-five
items hidden here. The STEWARD will bring you
some FOOD, and you can sit back and watch a
VIDEO, chat to the other PASSENGERS, or have a
cup of COFFEE.**

```
N L O H O C L A F C N X P C D L O H S S
B I S Y B X T O P I G R T G K S S S B C
F F B S K U O O A S E A A A T A A N T X
E P C A A D K T I S S B B N K L P U N H
A P B O C L P W S L T E C R C E R E S H
R D A L N A C U I H E O T T E B O A I A
P T G S C F R Y G N C T S S U P F F E N
L X O L S E E I M K D R S L O E A D F D
U B N L F E L C P O I O E T T H Z P C L
G T N I T F N I T F N N W Y E H R E X U
S O O P V H T G P I C O B S V W E I Q G
S U I L O E C V E E O E C E E R A H A G
Z Y H E I Y Q O R R L N A E F A T R S A
O E S V Y P I J F T S I E Y T P D K D G
E L U A I T O I U F S G T R I S C D R E
D L C R Y F N C M L E U U L Y A M P Y U
I A Y T F O J I E U U E O N H R M M O F
V G N M G N I D N A L T N S T A E S E W
```

214

48. HOLIDAY SNAPS

Put your CAMERA on its TRIPOD and take some SNAPSHOTS of the family. You must have the correct SETTING and make sure that the LIGHT is good. There are thirty-three clues hidden here.

```
Y A D I C T T N I R P A F T Q W D H S B
D R T T L H J Z F P S B N X X G S E N B
U W K M O G S D J L I O U D K A T B A E
T B H E S I Z H A U I C D T L X F G P B
S J Z G E L M C A T O E T F T D R I S N
R V I R U R O L O D X B P U Z O G G H C
Z Z L A P F E M I P E R J R R N N A O D
T O T L W V A D O F O C E E I E L B T O
M T J N O V R S N J L L A T C E S D S F
G O E E A N U P E I O A T R N T E J G I
H H O V J R S C L A F E N S T H J G U L
A P T R E C T F D W S W L D L R V B M T
R E R G K I G C K F Z G E O S X I Z V E
E L I X O R Z J E W P A H I R C U D T R
M E P N A P A Y C J R B G Q V T A R G S
A T O A T Y S D D T B C N H L Z N P E E
C C D R U E T A M A E U G N R O U O E M
R L E G N A R E V O C P S C W D W S C H
```

215

49. RACE COURSES

Find all the race courses hidden in this puzzle list. You can visit HEXHAM, TOWCESTER and ASCOT, and also FAIRYHOUSE and WINDSOR.

A - - - - -
A - - -
B - - - - - - - o - D - -
B - - - - - - - - -
C - - - - - - - - - -
C - - - - - - - - - - - -
C - - - - - - - - - -
C - - - - -
D - - - - - - -
E - - - - - - - - - - -
F - - - - - - - - - -
F - - - - - - -

F - - - - - - - - - -
G - - - - - - - - - -
H - - - - - - - - - - P - - -
H - - - - - -
H - - - - - - - - - -
K - - - - - - - P - - -
L - - - - - - - - -
L - - - - - - - - -
L - - - - - -
N - - - - - -

N - - - - - - - - -
N - - - - - - - -
P - - - - - - - -
P - - - - - - - - -
S - - - - - - - P - - -
S - - - - - - - -
T - - - - - - - -
W - - - - - - -
W - - - - - - - - -
W - - - - - - - -
W - - - - - -
W - - - - - - - - - - - - -

```
W R K T T G D O O W D O O G E L W M B O
W E X C C N O T N A C N I W W I I A E H
D T T N I A E N O T P M U L P N N H P R
K S O H O W R A F J R V J I O G D X S R
H E O C E T R F G A N Y Z B O F S E O M
U H M Z S R P A E C K M A R S I O H M R
N C E P M A B M W T A E O I I E R J F E
T W L K T A F Y A H N N N G K L T P F T
I T S R W O H O G H D O L H R D N S A S
N O I A L U N N L E R W P T A Z E O I A
G W L P K E I P E K O E W O P M W U R C
D C R K L T I F A T E O V N N R M T Y N
O E A C T I S C S R L S N L W L A H H O
N S C O X J N P E D K E T N O B R W O D
K T N D K U E C U S R W H O D W K E U C
Z E D Y B H S L O R T U P C N I E L S E
K R Z A C Y F G A L A E S N A E T L E Q
Y P G H Y R U B W E N D R D S U Y G Y U
```

50. AT THE WEDDING

Raise your glasses to the BRIDE as she is CUTTING THE CAKE, and enjoy the SPEECHES. You will also hear the TELEGRAMS being read out, and see the happy couple going off on their HONEYMOON. Find all thirty-five hidden answers.

```
N W O G A S E H C E E P S Q Y V Z L S B
S N O I T A L U T A R G N O C Y W K M M
C H G T T H S T S E U G Q S A H Y T A N
U B P S C E C I V R E S T W R R Y R R A
T V B A C E S E T D G H A E E A R A G M
T C X F R A R N D G N G O C U I E B E T
I D C K R G K E O I N A E N A Q F T L S
N F C A I T O E M I R P B G E S U P E E
G W B E N V R T O O T B E S E Y P O T B
T B U R G R O G O I N A K P U Y M S B A
H C A B S A C W O H R Y T M U H F O M C
E P E K S E P N S E P C I I G S T T O S
C O S T K T H K T V B N H V V I H N D N
A N S D I A M S E D I R B U S N F E D L
K A U P J D I V D S O R K S R E I E R Q
E G O Y K G R L T M C C U R T C F G I S
D R R G E L Z E Z J Z E E T B I H J E S
X O T R D B R Y Q Q S Q I O W T P Z C R
```

```
Y L E L H J T O L D W C B E L B N P C K
N R P M I P Z R V B L R P Z A Q J O I F
E D O R O E K Y R J O Y E N N H Y S M X
W L I T O T Y O R C L F R G R V K T O V
S N P R S G A E H A H L I N U H Z E C O
H K O W E D R U U A N R O M O U G R O T
E F D I S C R A N G A O D R J C W O A P
E W A H T E T D M Z O V I O C S E I O I
T O E Y R A O O D M P L C T Y S D N E R
I E O H E U C B R R E M A T C E F O C C
T R I P T K F I O Y A V L T P I Y V I S
C A B A T E O S L G D L O O A I D E T U
V L U R E L E O A B L K L L K C R L O N
O U F G L Z A Z B I U C O H U D A C N A
H C T O F I I U B E Y P G O P M O B S M
G R E I A N S F N C T K C A B R E P A P
U I U B E R L T N A W O D F Y U X G A H
W C G D L K E E O I M N N Y G S X E Q C
```

51. READT

There are thirty-four things to read hidden in this puzzle. You will find a NOTEBOOK, a SCROLL and a BOOK, also a DICTIONARY and a PAPERBACK.

1. THINGS AROUND THE HOUSE

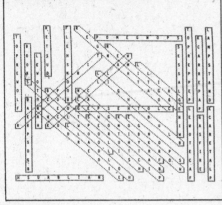

3. IN THE LOCAL PAPER

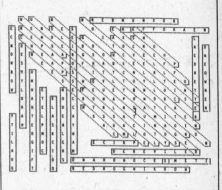

4. BLOOM

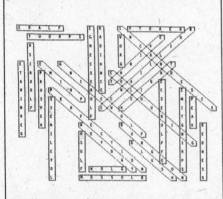

5. YACHTING

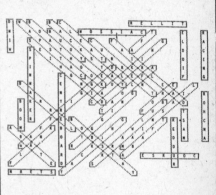

6. COME TO THE END

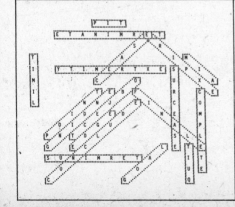

7. SWITCH IT ON

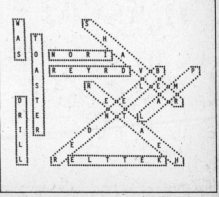

8. A LACY PUZZLE

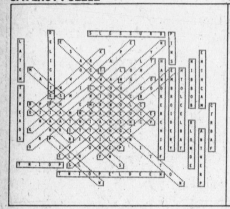

9. HE LEARNS

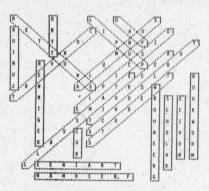

10. REFINE

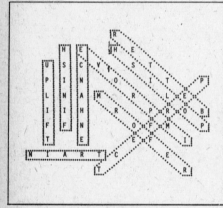

11. 'HIGH TIME'

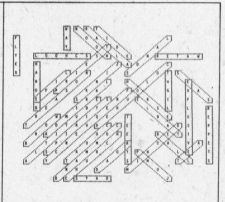

12. PASSING THE MESSAGE

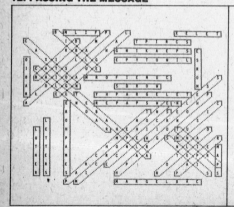

14. TO DO WITH WOOL

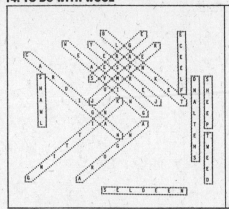

Angora
Blanket
Cardigan
Fleece
Jersey
Jumper
Knitting
Needles
Serge
Shawl
Sheep
Shetland
Tweed
Weaving

25. VEGETABLE GROWING

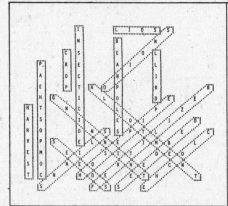

Allotment
Beanpoles
Cloche
Compost Heap
Crop
Drill
Fertilizer
Harvest
Hosepipe
Insecticide
Onions
Seed Bed
Seeds
Snails
Soil
Thinning

15. TAKING CARE OF IT?

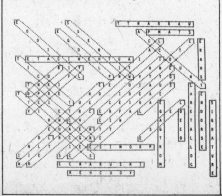

16. GET RID OF THESE LITTLE PESTS

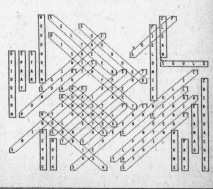

18. CHILD'S PLAY

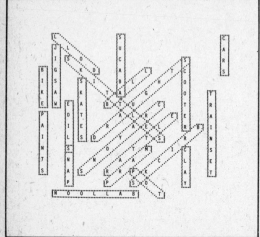

13. DROP

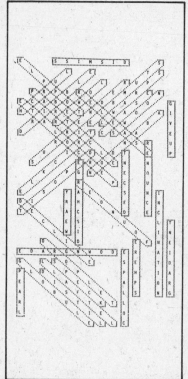

2. LET'S BAKE A CAKE

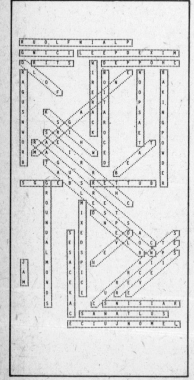

19. AMERICAN INDIANS

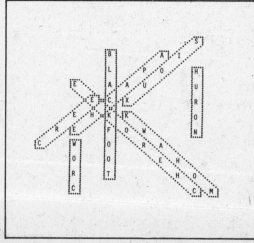

20. GOING TO THE DOGS!

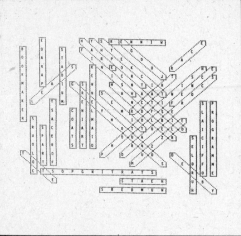

24. COVER-UPS

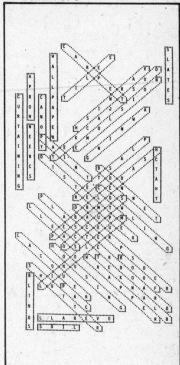

17. SHADES OF PAINT

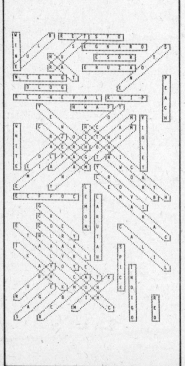

21. BARRIERS

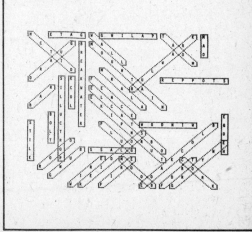

22. CONCEALING SOMETHING

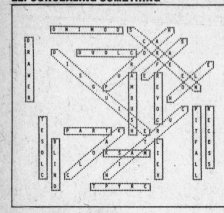

23. STICKY WEATHER

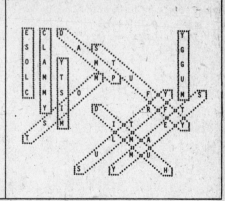

26. AT THE VERY EDGE

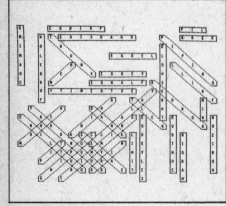

27. IN THE LIBRARY

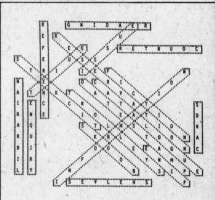

28. ABOUT THE BODY

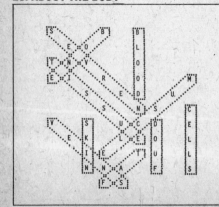

224

29. AMERICAN GENERALS

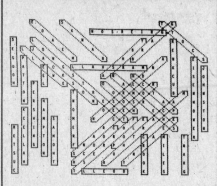

30. SOUNDS FISHY TO ME

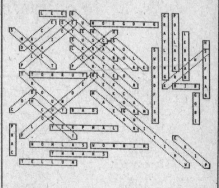

31. TRY AND GET IT

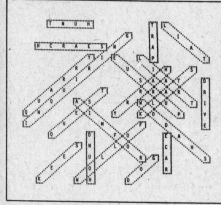

32. FIERCE

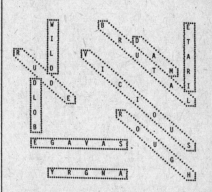

33. LIFE IN THE WATER

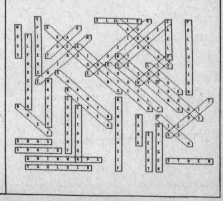

34. HOW LONG CAN YOU STAND IT?

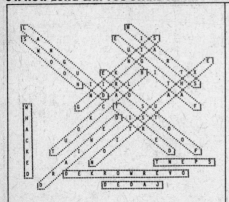

Blackout
Drained
Exhaustion
Fatigue
Footsore
Jaded
Languid
Overworked
Sinking
Spent
Strain
Swoon
Tired
Whacked

44. POLITICAL

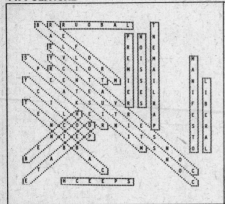

Ballot
Bench
Cabinet
Conservative
Constituency
Debate
Labour
Liberal
Manifesto
Minister
Parliament
Policy
Premier
Reform
Session
Speaker
Speech

35. IMPORTANT

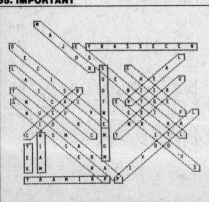

36. HOPEFUL

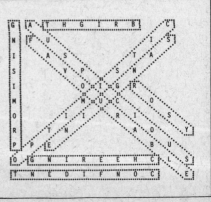

37. WEALTH

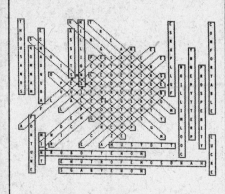

38. FIND THE ARTISTS

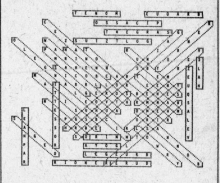

39. CATTLE

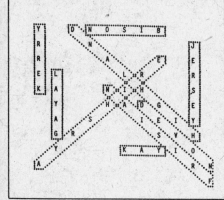

40. DEER

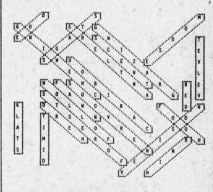

41. BRITISH BIRDS OF PREY

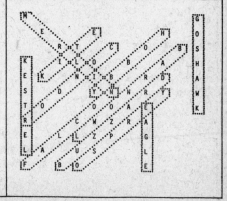

42. WELL-BUILT

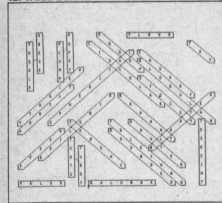

43. IT'S TIME FOR A PIANO LESSON

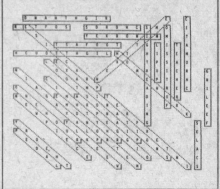

45. A GOOD SING-SONG

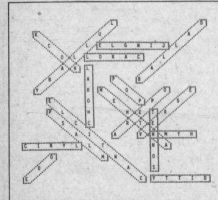

46. BELLOW

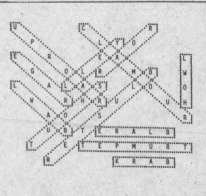

HARDER PUZZLE SECTION

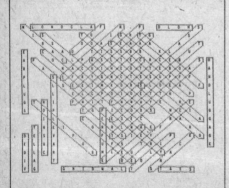

47. AIRWAYS

Air Hostess
Aisle
Alcohol
Cabin
Captain
Co-Pilot
Cockpit
Coffee
Confectionery
Cushion
Duty Free
Ear Plugs
Economy Class
First Class
Flight Bag
Food
Galley
Hand Luggage

Hold
Landing
Paper Bag
Passengers
Perfume
Pilot
Pressure
Safety Belt
Seat
Snack
Steward
Take-Off
Toilets
Travel Pills
Turbulence
Video
Windows

48. HOLIDAY SNAPS

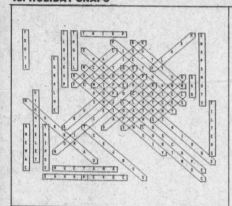

Amateur
Bag
Button
Camera
Cartridge
Close-Up
Control
Cover
Darkroom
Enlarge
Exposure
Film
Filters
Flash
Focal
Landscape
Lens

Light
Motion
Object
Pictures
Print
Projection
Range
Reload
Setting
Shade
Snapshots
Study
Subject
Telephoto
Tripod
Viewfinder

49. RACE COURSES

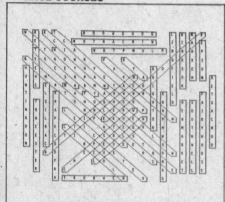

Ascot
Ayr
Bangor-on-Dee
Brighton
Carlisle
Cheltenham
Chepstow
Chester
Doncaster
Epsom
Fairyhouse
Fakenham
Folkestone
Goodwood
Haydock Park
Hexham
Huntingdon
Kempton Park

Leicester
Lincoln
Lingfield
Ludlow
Newbury
Newmarket
Nottingham
Plumpton
Pontefract
Sandown Park
Southwell
Towcester
Warwick
Wetherby
Wincanton
Windsor
Wolverhampton

50. AT THE WEDDING

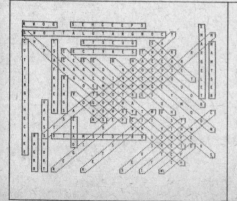

Best Man
Bouquet
Breakfast
Bride
Bridesmaid
Cake
Ceremony
Church
Confetti
Congratulations
Cutting the Cake
Date
Going Away
Gown
Guests
Honeymoon
Husband
Invitations

Marriage
Minister
Organ
Photographs
Reception
Register
Rings
Service
Speeches
Tears
Telegrams
Tissues
Toasts
Trousseau
Ushers
Vows
Wife

51. READ IT

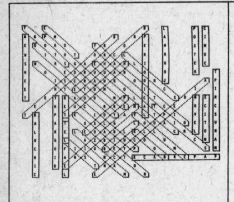

Bill	Manual
Biography	Manuscript
Book	Newsheet
Broadsheet	Notebook
Brochure	Notice
Catalogue	Novel
Circular	Paperback
Comic	Periodical
Dictionary	Poster
Directory	Programme
Encyclopedia	Prose
Handout	Publication
Journal	Script
Leaflet	Scroll
Letter	Story
List	Tome
Magazine	Volume

SECTION FIVE

Answers to this section on pages 274–284

1. BY THE SEA

AMUSEMENTS
BALL
BIKINI
BOAT
BUOY
BREAKERS
BREEZE
BUCKET
CHILDREN
CRABS
CREEK

DECK-CHAIR
DONKEY
DRIFTWOOD
FISHING NET
GULLS
PEBBLES
PICNIC
PIER
POOL
PUNCH AND JUDY

ROCK
SAIL
SAND
SEAWEED
SHELLS
SPADE
SUNSHINE
SWIMMERS
WARNING FLAG
WIND

```
S B A R C M Q R Q H X S R T D E B T K Y
O S K C O R F V M K O L J E U G D U V V
G A L F G N I N R A W L L P I S R A O L
Z E S L X V M P R D A E I U C P A S P Y
O L O T U O I E R P Z H A N G K T R E S
Y O U P N G T I Z N P S S C E J Q E C C
P G B T U E F C E E W X H H U G T K S B
N N P L E T M R I J E I D A B S A A L U
Z E K E W N D E G N J R N N V R O E P C
K W N O B L G R S W C S B D S E B R J K
T J O I I B F N I U E I G J S M R B C E
Z D D H H M L B I A M S P U C M R I V T
I G C I N S A E W H H A E D Y I G Z C D
W P F Y N L N E S C S C T Y D W G M C A
B Y V U L I E U R A O I K P W S F M B S
N P V H G D K E S E E B F C O R F C A N
Y E K N O D E I C G K U L S E P O N H U
D R W V A K U L B K U T H Y A D D B N T
```

2. WITH CAUTION

```
Z D M E Q X J U G G K W M E S
P S N H T A P Q E V P J R I T
C U K T L P U J I I U A A I M
K S P E H L O G M C C T D N R
J U R R F G I R O L T C A X D
T T L A U L U N T E E D E Z E
A A H B A D C O N E M K D W E
L X B N E E E T H O N A O A H
A R C E R X I N N T K D B R Z
R E N N U O H I C F M Y E N J
M H O O N U S O I E O X R I P
I X D B C H T K R D H U O N F
W S S E N I R A W T X M F G G
Q C I V S P W B G Y S M Q K Q
W E Z T Y G D H V F M D L D I
```

ADMONISH
ALARM
ALERT
ATTENTION
CARE
CONCERN
EXHORT
FOREBODE
HEED
PORTEND
PRUDENCE
THOUGHT
VIGILANCE
WARINESS
WARNING

3. NEGLECT

EVASION
FORGET
IGNORE
LAXITY
OMIT
SHIRK
SKIMP

```
Y P V C J U E L E T L
F E G P K J M M A P C
O R C E S L S A H N D
M O E Y N H C I F T R
I N E R T R I O V K T
T G O V P I R R Q Z K
A I I M A G X M K R N
Q S I H E S E A T Z N
W K J T Z L I X L H E
S N Q S Y H W O R H S
G Y D Z L P W B N M V
```

4. OILS

AMBER
ANIMAL
CASTOR
COD-LIVER
CORN
COTTONSEED
CRUDE
DRYING
ESSENTIAL
FATTY
HAKE

HALIBUT
LINSEED
LUBRICATING
MACHINE
MINERAL
NON-DRYING
OLIVE
PALM
PEANUT
PETROLEUM

POPPY SEED
SEMI-DRYING
SESAME
SOYA
TALLOW
TARRAGON
VOLATILE
WHALE
WINTERGREEN
WORMWOOD

```
M Q K H O M E L D V K L X E R F O Z P G
P A F E P L V G W I O P L L X K P E N I
D X C Q V A I O S N H A I J B E T H C T
B E P H F P L C T F H N J G A R N Y A H
M O E H I L O D I W S C W N O T E R S G
R C Z S A N X F O E B H U L U C E E T N
L E N T N C E O E O A T E I J O R L O I
D U B O E O I D M K W U A E G D G I R Y
H E B M G S T N E N M M P A N L R T O R
C B E R A A S T I U O E R P Z I E A H D
E E E S I V R E O C A N L O H V T L B I
H M G I Y C L R N C F P D N W E N O L M
U A I N H P A R A T O D C R H R I V A E
U S L N I T P T D T I F I R Y B W A M S
C E S I E Y E O I B Z A L T U I X F I Y
O S O V B R R A P N I T L Q P D N S N I
R F Y X Y U A D C W G T F Y L G E G A O
N H A M A R T L G V C Y O W E G J Y I Q
```

5. MATCH

ALIGN
APPROXIMATE
BALANCE
COINCIDE
COMPETITION
COMPLEMENT
CONFLICT
CONTEST
CORRELATE
COUPLE
DOUBLE

EMULATE
ENCOUNTER
ENGAGE
ENGAGEMENT
EQUAL
EQUIVALENT
FELLOW
GROUP
KEEP PACE WITH
LIKE

MATE
MEET
PARALLEL
PEER
RESEMBLE
RIVAL
RIVALRY
SCREEN
TEAM
TOURNEY
YOKE

```
E F W C Y L S J B X U Q S I T E P Y L E
N E O T O E F E L T V J Y T N T A O P K
A N P S T N N T C F X K Y N E A R E R I
Y O U E V E F R E N K I E N M L A Q Q L
V I O T O J E L U I A J O J E U L U L O
P T R N A L L M I O C L R C L M L I T E
E I G O R O D N T C T Q A E P E E V T E
N T F C W Q R C G X T G Q B M M L A L T
G E H T I W E C A P P E E K O X M L E A
A P B E E D I C N I O C N E C I E E A M
G M G L R W Z L A V I R U A X T I N V P
E O B B R E T N U O C N E O A K M T S Y
M C H M P K M A E T J D R L E L R C R E
E L X E V E L P U O C P E N A N R L L B
N B E S Z Q Q E J Y P R G U G E A B C O
T R Z E F F U H O A R A Q I E V U X U I
B K Q R G I W K F O G E L N I O A U Z H
U D F Z I Y E M C E I A U R D J B J V Z
```

6. FINE

ADMIRABLE
AGREEABLE
BRIGHT
CHOICE
CLEAR
CLOUDLESS
CULTIVATED
DELICATE
DELIGHTFUL
DIAPHANOUS
DISTINGUISHED
ENJOYABLE
EXCELLENT
EXCEPTIONAL
EXEMPLARY
GOSSAMER
LIGHT
LOVELY
MINUTE
NARROW
OUTSTANDING
PLEASANT
POLISHED
PRECISE
PULVERIZED
QUALITY
RARE
REFINED
SELECT
SENSITIVE
SHARP
SHEER
SIFTED
SLENDER
SLIM
SUBTLE
SUNNY
SUPERIOR
TINY
TOP-DRAWER

```
A R R V S S S R Q A O S X G
P G E A T L I U I D H N X D
O S R M E F E Q P A D K F E
L É U E A L T N R E M O D N
I T M B E S C P D R R E M I
S A T S T A S T M E L I E F
H C J I D L B O C I R N O E
E I T F Z R E L G E J C W R
D L N T E R Z H E O L P I B
P E A E J T T Q Y O R E R N
U D S D R F S A U E G I S T
L R A G U L B D C N G E X H
V J E L I L L I I H X C Y G
E R L M E E S D T E C S D I
R K P S S E N H M G E Y T L
I I I S U A L P Y N C T N L
Z E V N T O L V S G H I E A
E W L S D A N I F F O L L N
D T T B R E T A G U I A L O
I U N Y A I T R H S C U E I
O I A X V R A A H P E Q C T
R Y R E G R I E V W A I X P
Y R R A E P E M R I R I E E
N Y O L U R H Z D D T A D C
I G W Y L E V O L A C L Q X
T E T U N I M X F O I P U E
D E H S I U G N I T S I D C
R W R E Y N N U S Y A M P W
R E W A R D P O T Y Q O E C
```

237

7. SLIGHT

AFFRONT
DELICATE
DISCOURTESY
DISDAIN
DISREGARD
FLEETING
FLIMSY
FRAGILE
FRAIL
INDIGNITY
INSIGNIFICANT

INSULT
MINOR
MODEST
NEGLECT
PALTRY
PETITE
RAMSHACKLE
REBUFF
REJECT
RICKETY
SCORN

SKIMP
SLENDER
SLIM
SLUR
SNUB
SPARE
TRIFLING
TRIVIAL
UNIMPORTANT
UNSTABLE
WISPY

```
K L S Y O H Y N E Y P S I W B I A G D H
P P A C T R Y E P I X Q S Z X E N S Z E
E H I I T H T C N T O W R F L I R T W Q
T V Y L V A H D Z J O E L K L Y K N E F
I U A S C I I G E H B I C F I T G A M R
T P N I E G R D I U M A I N N E A T X A
E A L S N T K T F S H R P E S K F R P G
I E B I T D R F Y S T X G G I C F O T I
D N T R K A R U M F J T I L G I R P W L
M Y S H E G B A O F P Y C E N R O M H E
M M N U L J R L G C W B Z C I X N I X B
I D I C L F E B E E S G N T F U T N M F
N G B L L T Y C L M R I Z U I Z Z U O S
O S V J S A P U T I A S D S C Y B Y D P
R C N R O C S S B D A C I W A Y Y C E A
G N I T E E L F S U Q R L D N P I T S R
P M I K S U N I U Q N D F D T Z V G T E
E D D N R E D N E L S S T Q J U Y J E V
```

8. WHERE IS IT?

Place 6 letter answer to first part of each clue in Column B.
The answer to the 2nd part of the clue will be an anagram using just 5 of the letters from column B. The answer goes in column C and the spare letter into column A.
The third part of the clue is an anagram of 4 of the letters from column C – the answer goes into column D and the spare letter into column E. When complete, columns A and E will spell out *where it is.*

1. Visitor. Not opaque. Genuine.
2. Reviled. Established. To sleep on.
3. Fusible alloy. He ceased to gain. Actor's part.
4. More recent. Provide a person with something free. Weed among corn.
5. Threw into common fund. Bounded easily along. Drug.
6. Ne'er-do-well. Gaze fixedly. Vermin.

	A	B (6 letters)	C (5 letters)	D (4 letters)	E
1	L	CALLER	CLEAR	REAL	C
2					
3					
4					
5					
6					

9. WORD CHAINS

SHIP

PORT

BRIG

PUNT

REEF

KNOT

Changing only one letter at a time can you change the first word to the second?

10. THE WAY

ACCESS
AMBITION
AVENUE
BEARING
CHANNEL
CHOICE
COURSE
DEMAND
DESIRE
DIRECTION
DISTANCE

FANCY
INTERVAL
JOURNEY
LANE
LINE
PARTICULAR
PASSAGE
PATH
PLEASURE
PREFERENCE

PROGRESS
REGION
ROAD
ROUTE
SYSTEM
TACK
TRAIL
TRANSIT
TRIP
USAGE
WONT

```
G H D N A M E D P C N N H T A P O E G N
H D K P S M H T Q L H L A V R E T N I P
T T I L C M U U U A E O X Z Y D B Q Z A
Y J E S T O N H V E J A I Y P V E M P S
N P S L T O U E I G D U S C X V T F R S
Y O W S I A N R T M S B N U E A U J E A
E R I G E U N R S A Z J Y P R L O L F G
N F E T E C I C G E P W T N Q E R Y E E
R R T N I P C E E A O R D O Q P L G R U
U T N O O B E A R J A O A I W V E N E G
O R C W E E M T Y I V M O T C E N I N O
J A D X G Z I A L Y E C R C Z N N R C U
F N T D S C D X O T A X T E W N A A E V
H S K O U G F E S L L I Q R N M H E Z B
T I L L K A E Y S E C I Q I J L C B Z F
H T A C N N S Q J I N Y N D W M U F U Y
T R A C A Q E A V J R F C E F C B H E J
G T Y L P U Z L H E B E S S E R G O R P
```

11. RISE

ACCLIVITY
ADVANCE
ARISE
ARRIVE
ASCEND
ASCENSION
BOOST
CLIMB
DEVELOP
ELEVATION
EMINENCE
GAIN
GROW
GROWTH
HEIGHT
HEIGHTEN
IMPROVE
INCREASE
INFLATE
INFLATION
INTENSIFY
JUMP
LEVITATE
MOUND
MOUNT
PITCH
PREVAIL
PROGRESS
REINFORCE
RISING
SCALE
SLANT
SLOPE
SOAR
SPIRE
SPRING UP
STAND UP
TRIUMPH
UPRISE
UPTURN
WAX

```
L B X S S E R G O R P J W Q
T E O E T N D M M B E J D S
N U V O V O B M I L C N V A
U E D I S I T H G I E H C S
O F I J T T E K S C U C P Z
M S N P U A M T S X L R F U
N P C Z L V T A I I I M H O
I T R A T E Y E V N E E A G
A X E N L L T I G V I S Y E
G G A G Z E T U I G C O A P
W L S H F Y P R H E H C R O
S Y E U W K R T N E P P E L
N O F R X A E S U C Y O S S
T R A I P N I I H N D L I U
N C U R S O W C Z E I E R A
S G C T N N M D A N H V P D
U T R I P O E F A I P E U V
O P A O U U M T R M M D O A
I R Q N W Y D R N E U F G N
D D D L D T J E E I I I R C
A M W W N U H I Z T R G I E
B A P H O Y P N D N T Q S L
X I U I I R J F Z R F S I T
O I N J T Q G O T C P A N D
E O U F A C J R Z I V A G N
X M X Q L L H C R E R X T F
P N A B F A N E R I Z D H Z
M F B S N S T P S S I P Z V
F R C O I P L E V O R P M I
```

12. SEEN IN HOLLYWOOD

```
Y K D X I F Y Z S P T T K J I
G N I T H G I L R C Q E F J M
P A I A X P L O H K R E S K R
K E M I W W D R Q Y G I W I L
E R R Z H U E N M C E J P O U
U O Z E C L D O E R M O C T G
Q T I E H T D Q O K U A M B N
I C R V O E U Y R T T I O F I
N E J Y Z I A A W I S A V A T
H R W U P L C R O M O U E R O
C I D M T T W N S Q C Z M E O
E D E I O N U Y M A Q R E M H
T N E R Q Q I M X A L C N A S
T S S B I U U I O F L S T C B
N O I T C A S V Y S H C H N V
```

ACTION
ACTORS
CAMERA
COSTUME
DIRECTOR
EQUIPMENT
LIGHTING
LOCATION
MOVEMENT
PRODUCER
REHEARSALS
ROYALTIES
SCRIPT
SET
SHOOTING
TECHNIQUE

13. IN A THEATRE

AISLE
CIRCLE
CURTAIN
GALLERY
ORCHESTRA
PLAYERS
PROGRAMME
SEAT
STAGE
STALLS

```
W U F E Y Z X X Z D D
L E M M A R G O R P C
K S N G N V S A A I C
A E P Y A D P Q R U K
S A W X Q L S C R S Y
B T K Q A L L T Y L R
T A L Y L E A E D T E
Y F E A S I B V R C G
Z R T F N L N C M Y A
S S B E L S I A D C T
A A R T S E H C R O S
```

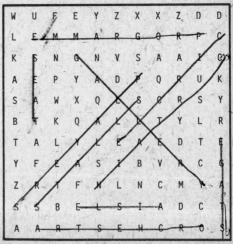

14. SETTLE

ABIDE
ALLOCATE
ANCHOR
ARRANGE
ASSORT
CALM
CLASSIFY
COMPENSATE
COMPOSE
FIX
INHABIT

INSTALL
LIVE
LOCATE
LODGE
NEATEN
ORDER
POPULATE
PUT IN ORDER
QUIET
RECOMPENSE

REGULATE
REPAY
RESIDE
ROOST
SATISFY
SEDATE
SITUATE
STABILIZE
TERMINATE
UMPIRE
WANE

```
K A C W W V F D Z Y T E C S X X S M E N
P N E F K X T N M W D S N E T A E N P S
Q C P G G P A P Y I J X D J D C Y E A I
F H K O N W V T S F V L Y I A G T L E T
C O R A P A A E X J I L M L X A L T Z U
O R S B O U R N J V H S M O N O A R I A
M Y A I Y I L R E J P X S I C C G G L T
P N T D K Z A A A U D G M A O N F X I E
E E I E B J Q L T V R R T L L O V T B M
N S S P S D L I X E E E N H P C I R A W
S O F M L N N A E T C X F H X B E G T C
A P Y J A O E R Q L H H F D A G G I S I
T M C O R R R P O X R I K H U S E P N E
E O K D I Z E T M O X F N L R T S S R E
G C E P X P P E C O S I A D A E T O U C
D R M J V O A I Y R C T D D F A D K R L
O U C S K G Y U Z E E E E K L J O R Q T
L P B E K D V Q A R L S R L L S Y E O V
```

15. VETO

G	P	N	S	L	F	M	P	Y	X	E	L	S	P	J
K	R	I	I	G	A	V	J	C	E	O	U	L	G	L
Y	O	A	N	Q	N	V	L	V	H	G	N	W	U	U
I	H	R	H	O	C	W	O	A	U	C	Q	O	T	R
V	I	T	Z	P	I	R	O	R	S	N	A	B	F	E
S	B	S	C	E	P	T	P	D	P	U	N	Q	M	J
Y	I	E	S	P	N	K	A	T	N	P	F	Y	K	E
M	T	R	A	P	E	V	O	L	P	R	A	E	V	C
E	F	S	F	X	G	C	O	Z	L	W	U	S	R	T
D	I	A	X	H	A	T	B	U	O	E	F	T	I	A
D	Z	B	F	K	T	S	A	V	L	X	C	J	C	D
U	F	Y	Y	I	E	R	T	J	G	I	Z	N	U	L
Y	N	O	I	T	C	E	J	E	R	P	B	G	A	T
E	Q	P	T	C	I	D	R	E	T	N	I	M	G	C
T	L	R	D	I	B	R	O	F	L	S	I	C	H	L

BAN
CANCELLATION
DISAPPROVAL
DISAPPROVE
FORBID
INTERDICT
NEGATE
PROHIBIT
REFUSAL
REJECT
REJECTION
RESTRAIN
TABOO
TURN DOWN

16. APPROVE

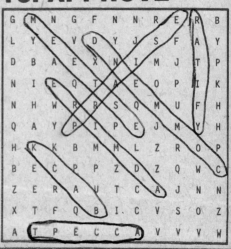

ACCEPT
ADMIRE
BACK
COMMEND
ESTEEM
PRAISE
RATIFY

17. UP IN THE AIR

```
V Z T Y S U R A C I J X A R U
P K S W M R W K S N T E A G H
A P I H X U U F I X N S R F S
R L N R E P M U J A T T Q R P
A N O K I R I J L R G S F R A
T Z O U H T A P O E C I L X C
R B L Q N O O N T P O T X G E
O M L M R R A I A P S U F M M
O I A Y E U Z V Z O M H U X A
P T B A T F I O U H O C M M N
E Y Z G B A L T M P N A L I A
R E Y I T J K Y I I A R V Z T
B H R O U G L L E O U A Y U V
B D R H W J O X C R T P H L R
H R N R X T R Y U P K D M T E
```

AEROPLANE
ASTRONAUT
AVIATOR
BALLOONIST
BIRD
COSMONAUT
FLYER
HOPPER
ICARUS
JUMPER
PARACHUTIST
PARATROOPER
PILOT
SPACEMAN

18. DOWN BELOW

BEACH
DALE
MINE
RIPPLE
RIVER
SEABED
VALLEY
WAVE

```
W R J H Y I A U C H X
F B W L O H S R Q J U
H U A S K E D S B X G
W R V R E J M W X N E
V I E R H A B I W G B
P P K L I F B C N X E
Q P M Z C V E E M E A
S L R I I U E P D I C
U E H O M J Q R X G H
E H M G L W E L A D S
Y E L L A V N A C Y Y
```

19. CROSS REFERENCE

All the letters of the alphabet are used to complete the
puzzle. The same number always represents the same
letter – e.g. 6 is always E.

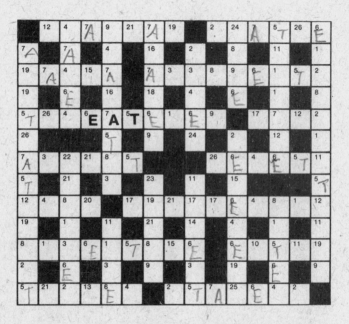

1	2	3	4	5	6	7	8	9	10	11	12	13
				T	E	A						

14	15	16	17	18	19	20	21	22	23	24	25	26

20. LAUGH AT US

BAMBI
BARNEY BEAR
BRUTUS
BUGS BUNNY
DAFFY DUCK
DONALD DUCK
DUMBO
FELIX
FRED FLINTSTONE

GOOFY
HONG KONG PHOOEY
JERRY
MICKEY MOUSE
MINNIE MOUSE
MUTTLEY
PENELOPE PITTSTOP
PINK PANTHER

PLUTO
POPEYE
ROAD RUNNER
SCOOBY DOO
SYLVESTER
TOM
TOP CAT
TWEETY PIE
YOGI BEAR

```
K W A P V R T F P B J F B E T O X C F W
N C V E M O Y L E Y U B E W V K F R R R
C Y L N M E U E M M R G E L W D E T E R
U F Y E G T E U O U K E S K I D S B T B
N O D L O E T S T O T C C B F X L X S F
E N O O L T S U U Y H U U L U R S L E S
W T O P L Y S U P O D P I D O N F M V K
F B D E F X O I O Y M N G A D A N G L N
G L Y P H Z E G F M T E D N T L B Y Y T
L E B I S C N F I S Y R I N O A A J S F
V Y O T Q O A K T B U E Y N G K C N J I
K E O T P D B O D N E R K D N O G P O C
W P C S M Q N M N P R A K C H I O N O D
L O S T I E B E U E G V R D I N M F O T
R P M O I A R X J D K F O A W M Q R Y H
D Y V P M R E H T N A P K N I P D E M U
G A I B E A W S A F E T D N L R I P P O
S I I F N B N I I R A E B Y E N R A B R
```

21. SHADOW

BLANKET
BLIGHT
CLOUD
DARKNESS
DIMNESS
DROP
DUSK
FOLLOW
FORESHADOWING
GLOAMING
GLOOM
HINT

HOUND
MELANCHOLY
MURKINESS
OBSCURITY
OMEN
PURSUE
SADNESS
SHADE
SHRED
SMEAR
SORROW

SPY ON
STIGMA
SUSPICION
SYMBOL
TARNISH
TINGE
TRACE
TRACK
TRAIL
TWILIGHT
VESTIGE
WATCH

```
H H O R Z F O N O I C I P S U S X R F V
O S Y T I R U C S B O E B G T H G I L B
U I E F W Q S X B M T Q A X W R P V R Q
N N G N U P T Y C I B S S S E N M I D R
D R B F Y L S W N E T L B N X S U V I T
Q A U O M X C G I I A M A T K Q L W R G
R T N D F U E V G L E X K N R R W A N M
A L Y T A K R M E L I J H G K Q C I W O
Z Q T R R R A K A S F G L I W E W H S O
L J R A W H K N I V T O H F N O T F O L
E I A I V A C N S N A I F T D T S L R G
E D C L Q H T S E M E G G A D S M L R J
U U K E O Y H C I S T S H E E Y E O O C
S O S L K A L N H A S S S N G O A B W K
R L Y H D P G R Z N E N D I O M R M W S
U C K E R P O P B R K A X C M E N Y G U
P Q Y B O E A R O X S 3 T C I N L S X D
B E A R M F D F D I R I W O L L O F Y I
```

1. High in the air
2. Standing to attention
3. Build
4. Standing with legs astride
5. Tendency
6. Limbs
7. Tissue consisting of contractile cells
8. Railway passengers alight on this
9. String with a weight attached
10. Precipitous
11. Soak
12. Not crooked
13. Sustained
14. Removable support for table
15. Righteous, honest
16. Perpendicular

```
A - - - - -
B - - - U - - - - - - - -
E - - - -
F - - - A - - - - -
L - - - -
L - - -
M - - - - - -
P - - - - - - -
P - - - - - L - - -
S - - - - -
S - - - - -
S - - - - - - - - -  STRAIGHT
S - - - - - - - - -
T - - - - - -
U - - - - - -
V - - - - - -
```

22. HOW THINGS STAND

A DOUBLE PUZZLE
Solve the clues to find the list of words hidden in the puzzle. The answers are in alphabetical order.

```
M P B L X W G E T S O W T U X
F A Y A B T A H H H F D C Y T
O L I C G L G L X E Q J E Q H
T O F I J I D Y U E M E R D G
U F U T A J N W X R T Q E O I
E T K R H M R O F T A L P E R
D N T E T R A P A T E E F N P
E S I V W S F D Q J F H R O U
T H L L T H G I R P U T L O B
R R C E B O Y S M J I U Y L G
O K E V A M U X T U A N M A F
P P G S L N U X Q U S K E P K
P G E X T T I L B A N C U Z T
U H I N Q L R N P P O U L J T
S S G E L B E K G J P H X E Z
```

249

23. PUNISHMENT

BEAT UP
BEHEAD
BIRCH
CASTIGATE
CHASTEN
CHASTISE
CORRECT
CRACK DOWN ON
CUFF
DEBAR

DISCIPLINE
ELECTROCUTE
EXECUTE
EXILE
EXPEL
FINE
FLOG
HANG
INCARCERATE

INFLICT PENALTY
LECTURE
PITCH INTO
REPROVE
SENTENCE
SLAP
SMITE
SPANK
THUMP
WHIP

```
X  J  H  L  A  R  E  P  O  G  D  E  D  T  R  C  R  Y  M  E
E  G  D  M  N  Z  V  T  U  B  K  C  L  N  G  A  I  T  T  T
O  U  C  I  E  O  L  M  U  T  R  E  A  I  B  R  X  A  C  B
B  D  R  Y  S  C  N  E  G  C  A  L  B  E  X  U  R  E  Q  B
L  Z  N  T  O  C  N  W  V  Q  E  E  D  C  M  E  R  J  E  S
K  Q  U  L  T  M  I  E  O  O  C  X  B  X  C  R  H  L  K  R
P  T  L  A  N  N  S  P  T  D  R  H  E  R  O  A  E  A  H  X
E  M  H  N  I  W  W  F  L  N  K  P  A  C  S  C  F  G  N  F
U  B  Y  E  H  Q  D  O  I  I  E  C  E  S  T  P  L  T  C  G
P  X  Z  P  C  J  H  K  F  N  N  S  A  R  T  E  A  H  F  P
B  I  S  T  T  Z  C  K  C  I  E  E  O  R  C  I  A  N  M  X
J  P  T  C  I  E  R  J  F  P  Q  C  T  T  C  S  S  U  K  N
W  S  A  I  P  E  I  R  I  F  U  F  U  I  T  A  H  E  L  F
J  Y  N  L  M  X  B  H  F  T  M  R  F  E  M  T  L  O  I  L
X  R  M  F  S  P  W  C  E  U  E  Y  N  U  C  S  B  B  A  O
C  R  T  N  H  E  E  T  A  G  I  T  S  A  C  O  H  F  U  G
C  H  K  I  K  L  X  S  C  D  Q  R  P  Y  R  K  H  F  G  R
L  C  J  C  D  A  E  H  E  B  X  O  N  Y  L  S  M  F  X  X
```

24. HOT

ACRID
ARDENT
BITING
BLAZING
BOILING
BURNING
CALORIFIC
CONTROVERSIAL
EXCITED
FERVENT
FERVID

FIERY
HEATED
INTENSE
KEEN
PASSIONATE
PEPPERY
PIQUANT
PUNGENT
RAGING
ROASTING

SCORCHING
SENSITIVE
SHARP
SPICY
SULTRY
THERMAL
TORRID
VEHEMENT
VIOLENT
ZEALOUS

```
R E U A G C G G N I T S A O R K W K S S
C N E E K J L H I D P E H I N J D O I T
Z F S M D L P R I H W X X V C W B G N G
Y D E X T N E V R E F C V U D A N A D L
R A N T T R R W C A L I Y T C I U I A Q
E I S N G E A F A T N T X R H Q R I K Q
I V I E F U E S L E B E I C I R S L I I
F D T G V M K A O D W D R P O R E B P N
G Y I N P S M D R Q I O T T E Z D Z A T
N N V U Y R G P I I C E O V Y P S N S E
I T E P E R A N F S F K O L R U A B S N
L G N H B L E P I Y V R B X T K R S I S
I G T E X U R P C Z T I U B L R D U O E
O Y N I M A R A P N A V O L U A E O N O
B C J I H E E N O E P L H L S G N L A K
D I Z S T A H C I E P G B L E I T A T G
Q P S T N I N E L N P H L P K N K E E K
Y S O K Z O B E V T G A H I M G T Z A W
```

25. YOUNG

ACTIVE
ADOLESCENT
AWKWARD
BOLD
BROOD
CALLOW
CHILDISH
CHILDLIKE
CONTEMPORARY
CURRENT
DYNAMIC
ENERGETIC
ENTERPRISING
FAMILY
FLEDGLINGS
GREEN
GROWING
IMMATURE
INEXPERIENCED
INFANTILE
ISSUE
JUNIOR
JUVENILE
LITTER
LIVELY
MINOR
MODERN
NAIVE
NEW
OFFSPRING
PROGENY
PUBESCENT
PUERILE
RECENT
SPIRITED
SPRIGHTLY
STOCK
TENTATIVE
UNDEVELOPED
UNEXPLORED
UNTRIED

```
Q G I J Z G T N E C E R A Z
T N E C S E L O D A U C M P
G O Y B T N M R G V T Q K I
S E X N A G E G D I U D N N
P R S B E T X Y V P X E A L
I U L G T G N E U R X I S J
R T R I N A O B D P V R E G
I A L A M I E R E E W T N U
T M T I W S L R P O W N E N
E M C N C K I G L D S U R E
D I E E I E W L D T A R G X
U W N Q N O A A O E L L E P
G T J C F C F C R I L U T L
Q F E S A D K F V D N F I O
C D Q V N K C E S D O B C R
J O N P T K L M E P O D S E
Y U N S I Y I V B L R G E D
Y B N T L S E C D G N I T C
L R X I E L S H H I E E N C
T O R J O M C U W K N I Y G
H O Z P U R P O E T T L H E
G D E C A V R O A C I B S K
I D L N U G E T R M J M I I
R G I D Y R I N A A O M D L
P R R Q M V R F I D R T L D
S E E M E I D E E L I Y I L
P E U E N T N R N E E S H I
V N P U P Z N O N T H E C H
X G N I S I R P R E T N E C
```

252

26. FAMOUS PEOPLE

**Solve these 11 anagrams to produce
the calling followed by these famous people.**

1. WELL, ONE CHOP.
2. NON LAW-FORMER.
3. SIGN NOW, ELLA
4. AND I VOWED.
5. THAT GREAT CHARMER.
6. NICK ONE LINK.
7. CALL KEN HARDY.
8. RON IN BATTLE.
9. SAY "HOTEL" TERRY
10. TEN BOMB TRAIN.
11. TED'S A DEVIL.

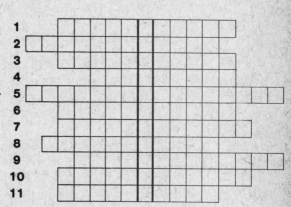

27. WORD CHAINS

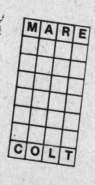

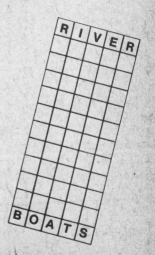

Changing only one
letter at a time can
you change the first
word to the second?

28. IN THE REGIMENT

ADJUTANT
BATMAN
CAPTAIN
COLONEL
COMPANY
COOK
CORPORAL
DRIVER
FLAG
GUARD

INJECTION
INSPECTION
LIBRARY
LIEUTENANT
MAJOR
MARCH
MEDICAL
MESS
MUSEUM

OFFICER
PARADE
PLATOON
PRIVATE
RIFLE
SERGEANT
SERGEANT-MAJOR
SIGNALLER
SQUAD
TRANSPORT

```
R O D X C Z L J A T E Y C U M K J D U R
E J J H E O H E R T N A C O X I I U Q M
C Y N B U M M A N C N W T F R N G H O C
I U L O R H N P A O S A U H J P N M T P
F H D I I S N P A S L J N E C A O N A A
F U F R P T T V E N W O C E F R M R E B
O L R O A A C M F S Y T C E T U A Q A Z
E Z R E I U B E F L I I R S S U T M R L
X T B N V U G U P O A R I E G N E Q L D
W S I L B I X G N S M G U P A P T I H P
P V H A P C R E Z A N M R E C P N N L A
Y N V C S A O D J A X I G A L J A P S R
R T V I C T W O L A V R V A F Z T B Q A
A A A D V H R L K A E K T S G D U K U D
R M X E E C E K T S X O D W V Y J M A E
B Q Y M S R A E T B O U N D P F D G D U
I C V R O J A M T N A E G R E S A K V H
L H U C H U N A M T A B V U P S T L F K
```

29. SETTLE

```
K K M T M E S R U B M I E R E
V X D F I C V A J E V R B D B
J W Z O D M Q N T O Q E X E E
S L C O L L E A O L P D W G J
V T E T Y L S R T H N E E R H
L P N M N N I S Z Q H E K A S
V C N W E O R B Z M G M E H I
E E T P M R I D E J M N T C L
Q S M I E U N H R H I K E S B
S O R F H E Z E Q M T Y I I A
C Y U U P W B J R U C T H D T
X N Q X B Q L E Y S L V O P S
D Q E A T S T A I G E A P O E
M T L H A E I T J K A V A N F
W U K X D S U D F N R P Y B K
```

CLEAR
COMPENSATE
DETERMINE
DISBURSE
DISCHARGE
ESTABLISH
EXPEND
FOOT
FOOT THE BILL
PAY
REDEEM
REFUND
REIMBURSE
REMIT

30. THE COST

AMOUNT
CHARGE
EXACTMENT
EXPENSE
FARE
FIGURE
HIRE
PRICE
TOLL

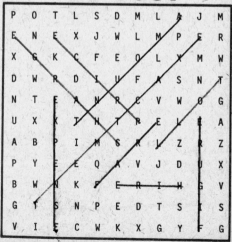

255

31. FOR THE LEATHER WORKER

APPLIQUE
BRUSH
BUFFING
CALF
COWHIDE
CURING
DRESSING

DRYING
DYEING
EMBOSSING
GLUE
GRAIN
HAMMER
HIDES
LINING
PIGMENT
PIGSKIN
PLIABLE
PUNCHING

QUALITY
SALT
SHEEPSKIN
SOAKING
SOFTENING
STITCHING
STRETCHING
STUDS
TANNING
THONG
TOOLS
WEAR

```
Q G E T E G N I S S O B M E W E T J P H
M C N G N I K A O S E V C Q K D H L R H
G M S I N E D R K Z S D C P K I G B A F
L T H G R I M Y C A M T I U A H S D L S
I K E J N U H G E I D Y R H E W D Y T A
N Q E A M I C C I I Y D S E Z O U I H K
I K P A O W S M N P N O R P T C T I O T
N U S S L J Q S Y U F G R M G C S D A S
G I K V B N Q K E T P H B N H V H N A I
J N I K S G I P E R M L I I N O N I G V
S T N R L N N N K D D F N N N I X A N E
D X P E G N I Y R D F G X S N A Y P L G
K U Y M C N I M V U V A Z G B T W P H L
N C B M G D F O B H X H Y R I E F L L N
C W H A E L C G N O H T U L A Q A I R I
A H J H B H E U L G L S A R E D I Q V A
L A G R T I A O J B H U S L O O T U X R
F I E L B A I L P H Q M V L X B L E J G
```

32. WILL MANAGE

ABLE
ACCOMPLISHED
ADROIT
APT
CAPABLE
CLEVER
COMPETENT
CONVERSANT
DEFT
DEXTEROUS
EFFICIENT

ENDOWED
EXPERT
FITTED
GIFTED
GOOD AT
HANDY
INGENIOUS
KNOWING
MASTERLY
PRACTISED

PREPARED
PROFICIENT
QUALIFIED
RESOURCEFUL
SHARP
SHREWD
SKILFUL
SLICK
TALENTED
TRAINED
UP TO THE MARK

```
D E I F I L A U Q D Y H L T I M O Z S O
C R C H S H C G P D E U A A H Z U R N W
A M U A F P I Y N B F X N Y Z K N X F V
M B T S P F N A K E E N T T I O R D A T
M Q L A T A H G C R T T H E D J R Q R N
A S Q E D P B R R C A N A E R E T B E A
S Z D X F O U L U S O M E L D O F L V S
T C L R V O O S E D P M E I E W U T E R
E O I F S M L G E R M G P H C N A S L E
R M K E M I H R A Y I T N L T I T B C V
L P R Y C K A C O N K N D I I O F E B N
Y E Q K O P T D G D D E S E W S T O D O
P T O Q E I W E E E W I U K Y O H P R C
R E C R S E N T N O H C H O I W N E U P
A N P E R I T I D C Y I G P T L E K D H
H T D H O I A N U N S F Z T P Y F J T A
S O S U F R E O D G G F I R A I U U P P
B W S C T T R E P X E E W L H S H C L U
```

33. COUNTIES ROUNDABOUT

Answer the clues to find the two diagonal counties. The last letter of each answer will be the first letter of the next answer.

1. Finish.
2. Made bigger.
3. Feared greatly.
4. Warship.
5. Get.
6. Copy.
7. Imperil.
8. Precipitation.
9. Clever, wise.
10. Month.
11. Washing through.
12. Made a profit.
13. Disarrange.
14. Obstructs.
15. Makes deep cut.
16. Scorches.

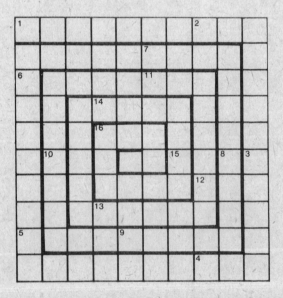

34. ON LAND

```
P A J L F V N D F M M R E C R
A O C O P K W E P U I D B O V
V E K I N Y A M E A W O N N E
E K O P S B L L T F O W I C X
M L A H T V O S O T M A G R A
E L E U S N U U B V C M E E U
N A T N I A N Z O C X G R T E
T W Y L R D K M X J N T R E Q
Z D U Y A Y H L R E I P E M X
M U I T Z F Q T L O Q S R Q E
G S I Q M V L L A G F O G G I
I O L I S D A O Q P N T A A N
N Y Q O W H W L O I H T A V L
P O D G C P W O F R S V X L G
R E D D A L Z K A G Z K L M P
```

BOOT
BOX
CHALLENGER
CONCRETE
FLOOR
FOUNDATION
LADDER
LAWN
LINOLEUM
PATH
PAVEMENT
PLATFORM
SHOE
STAGE
STAIR
WALL

35. IN WATER

CHLORINE
FISH
MOLLUSC
SALT
SAND
SEAWEED
SUBMARINE
SWIMMER
TADPOLE
WRECK

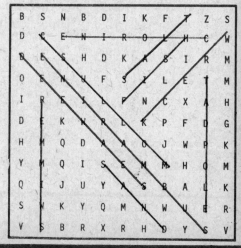

```
B S N B D I K F Z Z S
D C E N I R O L H C W
D E S H D K A S I R M
O E N U F S L E T M
I R E S L P N C X A H
D K N R L K P F D G
H M Q D A A O J W P K
Y M Q I S E M M H O M
Q I J U Y A S B A L K
S K Y Q M N W U E R
V S B R X R H D Y S V
```

36. PULL

ATTRACT
ATTRACTION
CRANK
DISLOCATE
DISLOCATION
DRAG
DRAW OUT
DRUDGERY
EXERTION
EXTIRPATE
EXTRACT
GRAVITATION
HANDLE
HAUL
INDUSTRY
INFLUENCE
JERK
KNOB
LEVERAGE
LURE
PLUCK OUT
POWER
REMOVAL
REMOVE
SNATCH
STRAIN
STRETCH
STRUGGLE
SWEAT
TAKE OUT
TRAVAIL
TRIGGER
TUG
TWITCH
UPROOT
WEIGHT
WITHDRAW
WRENCH
WREST
YANK

```
U R E G G I R T V D T C U Y
J P A W Y C T G T I Q J T A
V X R E E W Z S E S R E J N
W E M O I I E M T L E L W K
E J X T O R G C M O W D L U
G L C E W T A H S C O N U L
A H A V R R S T T A P A R Y
R T G V T T R Q S T R H E S
E R D T O A I W E I W U A T
V A A R I M E O N O G O A R
E V T N A A E V N N F T C U
L A Z N T G Y R R M T E R G
J I H C T E R T S R E Y A G
E L P H A D K O A K U O N L
R C L T N B C C B S J V K E
K E U N O I T A T I V A R G
Y G C H V I M O M Z H T T J
R Y K W O E O W D K Q L C C
T O O N J X H R C Y E T A W
S L U A Z W A A R C I Z R R
U E T H Q W R E N Y X H T E
D T Q A O L G E H D C F X M
N A H U M D U Z N T L D E O
I C T L U L S K A C B B N V
L O N R F B L N C I H C A E
Q L D N O E S G R B W O J R
L S I N B H W A R D H T I W
G I K E T A P R I T X E D U
J D T U O E K A T L S G P Q
```

37. CROSS JIG

The centre and corner units are in the correct position. Rearrange the remaining squares to form complete words.

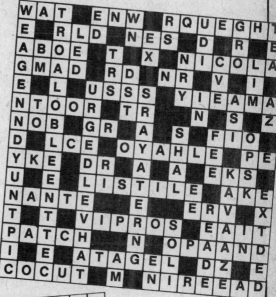

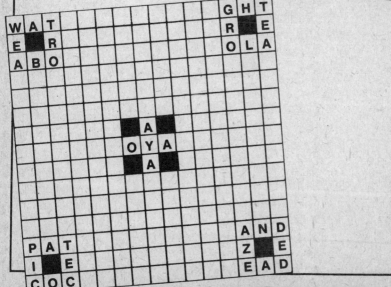

38. USED IN INDUSTRY

CHEMICALS
CLOTHING
COAL
COMMODITIES
COMPUTER
COPPER
DIAMONDS
ELECTRICITY
EQUIPMENT
FACTORY
FILM

GAS
GLASS
IRON
LEATHER
LOCOMOTIVE
MACHINERY
MANAGEMENT
OFFICE
OIL
PAPER
PISTON

RUBBER
SALT
SHIP
STEEL
SUPERVISION
TIN
TRANSPORT
TYPEWRITER
UNION
VALVE
WAREHOUSE

```
T S Z X T N E M E G A N A M L L A O C H
L H F E V I T O M O C O L H J Z O D I V
A E E A E M Q U U D T E K S A G F O E M
S Q E E C L M B O L B Y B Y V P F I Z C
W R D T Q T E X X M W Y P W Q R I L U O
T Q S K S S O C T M X C L E U Y C M N M
N B E N S O L R T F F N O B W M E L I P
E Y I T O U P A Y R I G B P Y R C I O U
M Q T K R T P Z C T I E N R P D I F N T
P I I P X A S E B I R C E I I E V T F E
I Z D S H O N I R W M N I A H A R Q E R
U X O H V R Q S P V I E M T L T L D D R
Q I M I J E O X P H I O H V Y A O R L N
E V M P P H L F C O N S E C R Q Q L O O
T I O D A T J A X D R Z I T J Q W R C B
I Y C Y P A M Q S N V T M U X P I V K U
Z H D B E E S U O H E R A W N G M O Q F
A E D A R L Q E F A P I Q O S S A L G X
```

39. OFTEN DESERVED

```
R P G K G R E S E T U B I R T
Y F R F S K N A H T E J Y Q V
Z B X G S Z Y X K B L T R Q I
N H J U E Z A Y K C T T X M Q
H O E R K W T T Y Y I C F D O
Z N U K A H K N W H T V U I O
E O Z R A E D U T I T A R G G
C U D G S H Y O T N E M Y A P
T R I Y M N S B E W H E M L A
P N B K O R X D A R M J N G M
Y B A M Q K G G N E R E D Q P
F N I R O G E S R A C T D W P
V L M L G S K I I P H K R A Y
A Y E N O M T C P I Y U V X L
I V W C P Y T I U T A R G A Y
```

ALIMONY
AWARD
BOUNTY
GIFT
GRANT
GRATITUDE
GRATUITY
HANDSHAKE
HONOUR
MEDAL
MERIT
MONEY
PAYMENT
THANKS
TIP
TITLE
TRIBUTE
WAGES

40. OFTEN NECESSARY

CHARGE
CHARTER
ERRAND
HIRE
LEASE
MORTGAGE
RENT
TASK

```
L A H Z A K G M W G U
P M E C L K V Q U E T
B D O F D E G R A H C
K N F R U W I W L T D
Z A O A T X Z E D N R
D R Y N T G A K I E E
O R W Q Y S A S R R T
E E P K E H L G F C R
E R S R S P B H E Q A
Z N I H N A F J V T H
C K N H S N T S F Z C
```

263

41. WHAT CHEMISTS KNOW

ALUMINIUM
ANITMONY
ARGON
BROMINE
CADMIUM
CHLORINE
COPPER
FERMIUM
GALLIUM
GOLD
HELIUM

HYDROGEN
IODINE
IRIDIUM
IRON
KRYPTON
LEAD
MERCURY
OXYGEN
PLATINUM
PLUTONIUM

POLONIUM
RADIUM
SILVER
TIN
TUNGSTEN
URANIUM
VANADIUM
YTTRIUM
ZINC
ZIRCONIUM

```
S N X S A R M D A N O T P Y R K B Y F S
I T E Q D A I U Z R T H K M Z O P V S G
P R G A T D H B I I G I E P S L S R H O
S O A P O I Y A K R R O N L U Y Q Y Y L
L Y L W Y U D K L B T C N T I O R M O D
A G L U L M R N M H A T O W I U J E D M
M U I N O L O P E U N N Y N C Q M H M U
R R U T B E G A Y V I U M R I M V U S I
J E M U H B E Q F U T D E U O U I M O M
N P T N A M N A M F M M A J I N M D U R
E P R G M G N H M C O C E N I N I E Z E
G O E S M U Y A H Z N T Q M A N A S A F
Y C V T J W I L K P Y F U C E V B R K U
X I L E T R O D T T I L N Y K K D S U A
O R I N L R J E I V A I M U N I T A L P
Y O S E I X Y Q J R Z W D Z K L C K P H
A N A N N H W U B E I L N M U I M D A C
N D E E P Q E K T G N P N E N I M O R B
```

42. JUMBLIES

To find the answers rearrange the letters of each clue, e.g. MR. PILES = SIMPLER

Clues Across
2. Mr. Piles
7. I cot.
8. Is no.
9. Did cats?
10. Rail.
12. Bebs.
15. Be lad.
18. Runic.
19. Elic I

20. Biled.
21. Is gun.
22. Emden.
23. Wes do.
26. Veer.
29. Else.
31. Hon navy.
32. Golf.
33. Snow.
34. A horse.

Clues Down
1. Oats.
2. Arcs.
3. Led M.O.
4. El cad.
5. Sire.
6. Buns.
10. i.a. flores.
11. Nil nice.
13. Live bee.

14. Sees Ged
15. Gribs
16. Olga W.
17. Dreer
24. C.O. cur.
25 Cheap.
27. Live.
28. Gear.
29. To ye.
30. Elan.

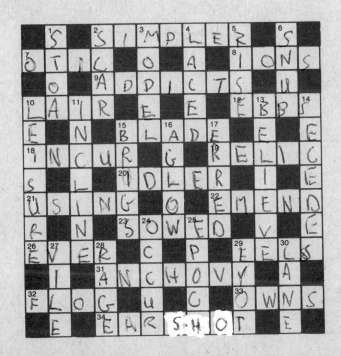

43. FOR PLAYERS

BAGATELLE
BALL
BAT
BICYCLE
BOAT
BRICKS
CARDS
CATAPULT
CRAYONS
DOLL
DOMINOES

FORT
GUN
HOBBY HORSE
HULA HOOP
JACKS
JIGSAW
LUDO
MARBLES
MECCANO
POGO STICK

PUPPET
SCOOTER
SKATES
SKITTLES
SLIDE
SOLDIERS
SWING
TOP
TRAIN
TRICYCLE
TRUMPET

U K O D U L J H A E F S L Z F Y B D S Q
J P O O H A L U H B L R P M N W T U I A
Z S R E I D L O S H C C D U A S E H X G
C N I K T R O F Q A W T Y R P R E I P N
K L H T P W O J T Z E H O C E P B K L I
N L L E H P N A S L O O D P I T E L A W
M O X S R I P N I S S B G O C B O T E S
E D K K A U O T K K E B E G M J J O F S
C T P R L Y A C I E J Y N O G I Q U C T
C R T T A B R T F E G H T S J O N Y A S
A I U R Y J T M S L E O E T J A R O D Q
N C C M L L I W V L D R P I U Z B J E S
O Y L G E L Q G S E I S M C D M A S S S
Z C B S D J A W S T L E U K T C D T K B
F L S K C I R B E A S Q R E K R G J A D
G E E I P G E X D G W X T S A H I Y T S
S U I O A C C V K A G U Z C W P V U E B
U A N L C K B T U B S N Z B U P X X S X

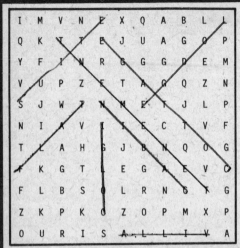

I	M	V	N	E	X	Q	A	B	L	L
Q	K	T	T	E	J	U	A	G	O	P
Y	F	I	N	R	G	G	G	D	E	M
V	U	P	Z	F	T	A	G	Q	Z	N
S	J	W	F	N	M	E	T	J	L	P
N	I	A	V	I	I	E	C	I	V	F
T	L	A	H	G	J	B	N	Q	O	G
F	K	G	T	L	E	G	A	E	V	C
F	L	B	S	O	L	R	N	G	G	G
Z	K	P	K	O	Z	O	P	M	X	P
O	U	R	I	S	A	L	L	I	V	A

CABIN
COTTAGE
FLAT
IGLOO
LODGE
SUITE
TENEMENT
VILLA

44. LIVING PLACES

45. NOT REVEALED

```
W  K  S  A  M  H  S  U  B  M  A  E  B  F  Y
V  V  A  S  J  E  A  T  M  Y  V  Q  J  H  U
N  E  E  R  C  S  I  M  J  A  A  K  T  W  N
C  H  D  R  B  D  D  U  S  I  P  L  D  T  H
Z  K  E  N  L  Y  T  I  E  Z  A  I  L  B  G
L  T  X  A  I  I  O  S  S  E  R  P  P  U  S
Y  F  X  A  N  N  D  J  T  G  X  N  E  Q  V
F  S  E  Y  D  V  P  S  O  M  U  M  T  R  C
U  E  N  U  F  E  Q  R  W  Z  B  I  E  V  P
N  C  E  S  O  I  S  P  E  C  U  H  S  B  R
J  L  J  W  L  L  M  N  L  S  T  V  Y  E  I
C  U  F  Y  D  Q  X  E  E  O  E  P  U  Z  V
J  D  F  P  B  R  Q  N  M  A  T  R  C  I  A
T  E  B  E  R  U  C  S  B  O  K  D  V  L  C
O  H  F  Y  R  E  T  S  Y  M  R  W  T  E  Y
```

AMBUSH
BLINDFOLD
DISGUISE
EVASION
MASK
MYSTERY
OBSCURE
PLOT
PRIVACY
RESERVE
SCREEN
SECLUDE
SECRET
SMOTHER
SNEAK
STEALTHY
SUPPRESS
VEIL

46. PUBLIC

COMMON
EXPOSED
FREE
HUMAN
OPEN
POPULAR
SOCIAL

```
T  P  T  R  H  M  W  D  Y  V  F
R  E  C  U  S  A  F  E  E  X  V
K  Y  M  J  U  Z  H  S  D  K  F
A  A  N  E  E  R  F  O  A  X  S
N  R  O  M  N  P  A  P  M  I  U
O  B  M  L  B  V  H  X  L  P  U
O  B  M  Z  A  V  Z  E  O  A  I
Q  A  O  N  G  I  W  T  Z  K  W
B  S  C  X  G  G  C  N  L  P  O
Q  Z  R  A  L  U  P  O  P  H  C
N  R  D  C  I  N  Z  D  S  I  I
```

47a. THE BOOK

Answer the clues and, reading downwards, the first column will give you the title of a book and its author.

A. Adjudicated.
B. European capital.
C. Sauce.
D. Came out.
E. Dispatch.
F. Beat severely.
G. Man of the house.
H. Ask to come.
J. Unclothed.
K. Expansion.
L. Young animal.
M. Purpose.
N. Rock oil.
P. Burnt out.
R. Navvy's tool.
S. Foam.
T. Power unit.
U. Colour.
V. Reach.
W. Attacked by crowd.
X. Call upon.
Y. Demonstrated.

47b grid (letters A–Y):

A	83	26	36	17	123	72	
B	116	60	31	14	9	65	
C	34	112	1		106	37	127	121
D	120	78	109	122	10	27	15
E	28	101	7	98			
F	103	132	18	96	39	115	
G	2	105	44	93	16	97	13
H	8	63	124	62	111	68	
J	117	70	85	35	95		
K	131	113	126	87	30	76	
L	59	77	133	118	20	71	
M	130	12	75	19	58	114	
N	129	84	102	107	90	119	41
P	25	52	91	55	74	47	
R	99	61	38	5	88	100	
S	23	45	29	48	3	69	
T	6	33	64	46	89	94	
U	24	49	53	73	66	82	
V	32	40	110	21	57	42	
W	104	92	108	22	54		
X	125	80	67	51	79	86	
Y	128	56	81	50	11	43	

47a grid (numbered/lettered cells):

Row 1: 1C, 2G, 3S, ■, 4W, 5R, 6T, 7E, 8H, 9B, 10D
Row 2: ■, 11Y, 12M, 13G, 14B, 15D, ■, 16G, 17A, 18F, 19M
Row 3: 20L, 21V, 22W, 23S, 24U, ■, 25P, 26A, 27D, 28E, 29S
Row 4: ■, 30K, 31B, 32V, 33T, 34C, 35J, 36A, ■, 37C, 38R
Row 5: 39F, 40V, ■, 41N, 42V, 43Y, ■, 44G, 45S, 46T, 47P
Row 6: ■, 48S, 49U, ■, 50Y, 51X, 52P, 53U, 54W, ■, 55P
Row 7: 56Y, 57V, 58M, 59L, ■, 60B, 61R, 62H, 63H, 64T, 65B
Row 8: ■, 66U, 67X, 68H, 69S, ■, 70J, 71L, 72A, ■, 73U
Row 9: 74P, 75M, ■, 76K, 77L, 78D, ■, 79X, 80X, 81Y, 82U
Row 10: ■, 83A, 84N, 85J, 86X, ■, 87K, 88R, 89Y, 90N
Row 11: 91P, 92W, ■, 93G, 94T, 95J, ■, 96F, 97G, 98E
Row 12: 99R, 100R, 101E, 102N, 103F, ■, 104W, 105G, 106C, 107N
Row 13: 108V, 109D, 110V, 111H, 112C, 113K, ■, 114M, 115F, 116B, 117J
Row 14: 118L, 119N, 120D, ■, 121C, 122D, 123A, 124H, 125X, 126K
Row 15: 127C, 128Y, ■, 129N, 130M, 131K, 132F, 133L

47b. THE QUOTATION

Find the quotation by using the letters from the completed answer above.

48. PILE UP

ACCUMULATE
ADD
AGGLOMERATION
AGGREGATE
AMASS
ARRANGE
ASSEMBLE
BANK
BARRICADE
BARROW
BRING TOGETHER

BULK
BUNCH
COLLECT
GATHERING
GROUP
HARVEST
HEAP UP
HILL
HOARD
LOAD

LUMP
MASS
MOUND
MOUNTAIN
RANK
SCRAPE TOGETHER
STACK
STOCK
STORE
SWELL
TANK FULL

```
P U P A E H E X K J Y T P P Q N G Z R O
G N I R E H T A G N N Q Y S M A D E V C
G P Q Q D E M O D M A E Z B C U H O S O
S K F V V N W A C D E B A C A T L S T V
W Z B K V O D F S S A R U A E B N A Q R
E T G C J I I A G S R M F G A G N R E M
L G T A T T Z E O O U H O R O K I H E T
L E S T Q A C Z W L A T R G F P T P A I
A U E S K R Z N A Z G I Q U A E V A M S
O R V Y N E Z T V N C R L M G M M G A J
T A R B A M E O I A X L O O O O A G S P
P S A A R O L R D W Q K T U U W C R S H
N S H I N L B E J E U E N N P O B E T O
T E K H K G B K R L P T D K L U C G G A
I M C C O G E O L A A P L L N L K A M R
O B O W Q A T I R I W U E C C D U S T Y D
X L T I M S H C N W B C H K N L Z E Q E
D E S L G Z S Z T L T B A Y M N P T K E
```

1. Dish for cold food
2. Bake a layered cake in this
3. Metal cooking vessel
4. For weighing
5. Two bladed cutter
6. Large ladle
7. Abrasive material for cleaning pans
8. Carry food on this
9. Sift
10. Descend slowly
11. Wooden pin for meat
12. Bar which forms a lather
13. Used for string
14. Kind of ship
15. Backless seat
16. Food can be kept in this

```
S - - - -      B - - -
S - - - - - - -      T - -
S - - - - - - -
S - - - - - - -
S - - - - - - -
S - - - -
S - - - - - - -      P - -
S - - - - - -      T - - -
S - - - -
S - - -
S - - - - -
S - - -
S - - - -
S - - - - - -
S - - - -
S - - - - - -      T - -
```

49. 'S' IN THE KITCHEN

A DOUBLE PUZZLE
Solve the clues to find the list of words hidden in the puzzle. The answers are in alphabetical order.

```
J  P  O  O  C  S  S  H  Y  R  X  L  N  E  M
S  O  L  Y  F  A  E  T  E  N  O  F  S  Z  J
J  Q  Q  Z  D  N  L  L  E  O  V  T  T  C  A
D  Z  S  X  R  D  A  P  T  A  O  V  E  F  G
A  R  V  A  Q  W  C  S  Q  R  M  V  A  P  H
P  I  R  I  U  I  S  P  A  Q  E  E  A  W  E
G  N  E  H  K  C  E  G  H  I  Q  O  R  F  S
N  X  W  G  T  H  E  W  S  W  S  Y  Q  M  A
I  K  E  H  W  T  H  P  U  O  K  H  X  P  L
R  P  K  Q  I  I  J  J  A  N  S  M  K  N  A
U  I  S  N  D  N  N  Q  I  N  L  F  O  P  D
O  S  J  S  R  O  S  S  I  C  S  O  Q  C  B
C  H  Q  O  D  R  M  Q  X  C  P  W  G  T  O
S  Y  F  Q  Y  G  B  K  K  S  L  O  D  N  W
L  Y  A  R  T  G  N  I  V  R  E  S  C  I  L
```

50. OPEN DOOR

```
W J C M L E V I E C E R D K Q
C F O S J X U X K M T I M D A
S Z N T W F Q D O Y V Z E V O
O Y C V E K R C Z X A G J G O
K A U T X E L A V I O P E A C
N P R E K E R C T A D C D C C
S P K E W C O G L E A S U C W
A R U M I N G O T R R T J E F
L O J O S V N A B P X N C P C
U V U O B G W M V I O E I T O
T E R F W Y E B S I G D P Z B
E T C I I A H I L T S J A W E
E H T H P Q J U I B C I M W Q
S H R E F E D C N J B Y T Q U
P T A O A J W B K Y A R O K I
```

ACCEPT
ADMIT
ADOPT
APPROVE
CONCUR
CONSORT
DEFER
EMBRACE
FRATERNIZE
GO ALONG WITH
GREET
MEET
RECEIVE
SALUTE
VISIT
WELCOME

51. REJECT

DISALLOW
DISCOUNT
DISMISS
JILT
REFUSE
SCORN
SNUB
SPURN
VETO

```
X E L J W F R P Y Y R
M S I B O H E R F D W
S L K S L E F C V C T
T N N G L I U P K Y V
M U X S A S S J V E C
B V L S S N E N T X K
N Z Y J I I R O R D A
R J R T D N M O O Z S
U V P Q D A B S C O R
P L E B W N S V I S A
S I T N U O C S I D N
```

52. CARD GAMES

ALTERNATE
BISLEY
BRAG
BRIDGE
BRISTOL
CANFIELD
CARPET
CLOCK
DIVORCE
DOUBLETS
FLORENTINE

GOLF
KING ALBERT
KLONDIKE
LABYRINTH
MARTHA
MAZE
MONTE CARLO
NEWMARKET
PATIENCE
POKER

PYRAMID
QUADRILLE
RAGLAN
SCORPION
SNAP
STAR
STRATEGY
THIRTY
WHIST
WINDMILL
WINGS

```
P G C Y G E T A R T S T Q E D E R K P E
F K A B F W V A A W R O C D V D A J X E
W D N W L T W V H E E N M F U I T S O K
U S F B O H R H K T E T S V A V S E L I
P T I A R I G O I I R C A A N O L K S D
W Y E O E R P A T S O A M N P R N Z C N
W S L B N T A A V R T O M Y R C Y A M O
B U D R T Y P V P B N E R X J E R Q E L
V L J A I V I I I T L A K Z G P T Z Y K
U L Z G N T O S E A M C L R E M A L E J
M I C R E N L C B I O T O T A M C G A S
P M N P F E A Y D L I K T U A M D F P T
M D A A Y R R F C A B A S R F I W D C E
W N E L L I R D A U Q V I J R Z J E D L
S I B O N G O W K F M W R B Z P N N N B
V W N T A W A J I T R E B L A G N I K U
E G H G J Q G R G S T M F L O G C H K O
L U Y J S X I I S Z J N K L Y N C X T D
```

1. BY THE SEA

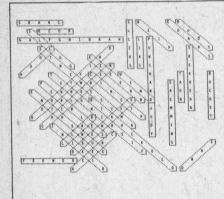

2. WITH CAUTION

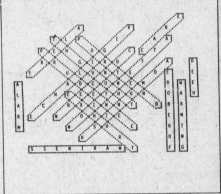

3. NEGLECT

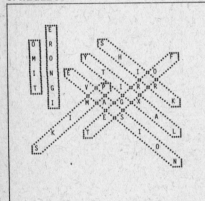

4. OILS

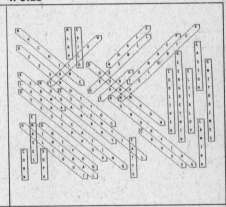

5. MATCH

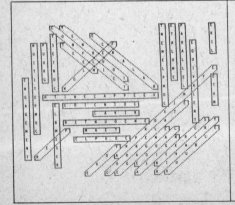

7. SLIGHT

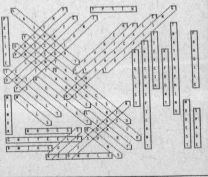

8. WHERE IS IT?

	A	B (6 letters)	C (5 letters)	D (4 letters)	E
1	L	CALLER	CLEAR	REAL	C
2	U	ABUSED	BASED	BEDS	A
3	D	SOLDER	LOSER	ROLE	S
4	L	LATTER	TREAT	TARE	T
5	O	POOLED	LOPED	DOPE	L
6	W	WASTER	STARE	RATS	E

6. FINE

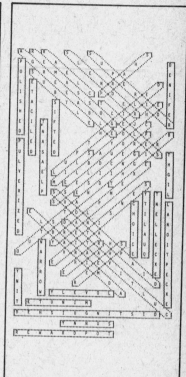

11. RISE

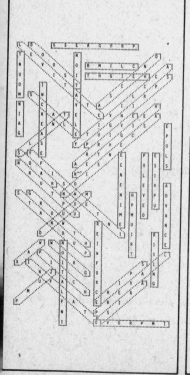

9. WORD CHAINS

SHIP	BRIG	REEF
SLIP	BRAG	BEEF
SLIT	BRAD	BEET
SLOT	BEAD	BELT
SOOT	BEND	BOLT
SORT	BENT	BOOT
PORT	PENT	SOOT
	PUNT	SLOT
		SLOW
		SNOW
		KNOW
		KNOT

275

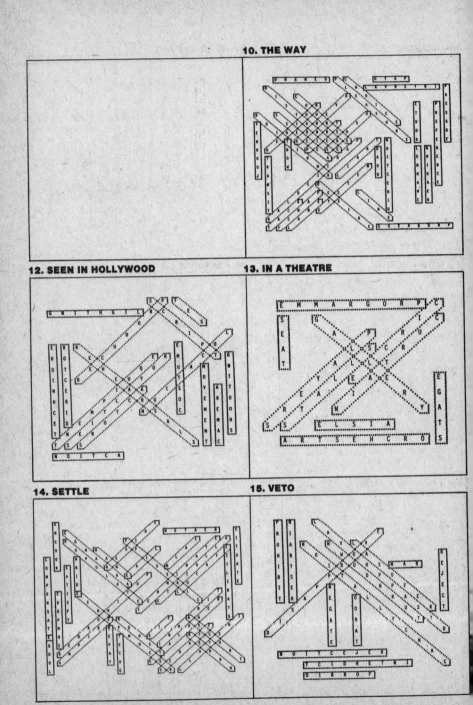

10. THE WAY

12. SEEN IN HOLLYWOOD

13. IN A THEATRE

14. SETTLE

15. VETO

16. APPROVE

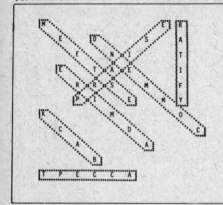

17. UP IN THE AIR

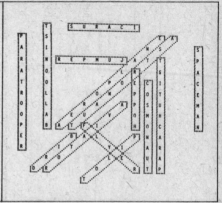

18. DOWN BELOW

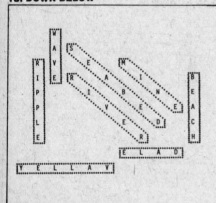

20. LAUGH AT US

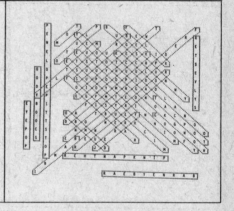

19. CROSS REFERENCE

```
   GRADUAL   SWATHE
A   A R M S   I   O   N
LARVA  ACCIDENTS
L  L E M Z  R E N  I
THREATENED  BAGS
H     T  D  W  S  G   N
ACQUIT      HERETO
T  U C  F O V       T
GRIP  BLUBBERING
L  N  O U  J  R  N     O
INCENTIVE  EXTOL
S  E C  D  C  L  E     D
TUSKER  STAYERS
```

```
1  2  3  4  5  6  7  8  9 10 11 12 13
N  S  C  R  T  E  A  I  D  X  O  G  K
14 15 16 17 18 19 20 21 22 23 24 25 26
J  V  M  B  Z  L  P  U  Q  F  W  Y  H
```

277

21. SHADOW

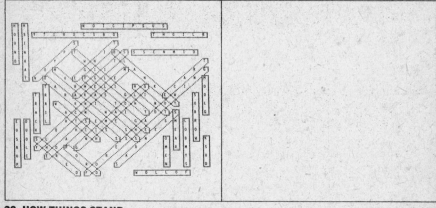

22. HOW THINGS STAND

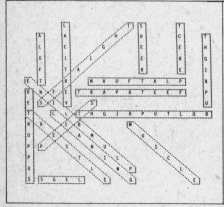

1. Aloft
2. Bolt Upright
3. Erect
4. Feet Apart
5. Leaning
6. Legs
7. Muscle
8. Platform
9. Plumb - Line
10. Sheer
11. Steep
12. Straight
13. Supported
14. Trestle
15. Upright
16. Vertical

23. PUNISHMENT

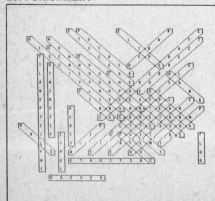

24. HOT

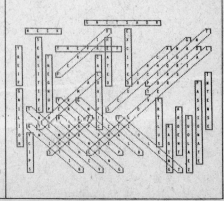

278

26. FAMOUS PEOPLE

```
      E N O C H P O W E L L
  N O R M A N F O W L E R
    N I G E L L A W S O N
        D A V I D O W E N
M A R G A R E T T H A T C H E R
    N E I L K I N N O C K
    L Y N D A C H A L K E R
  L E O N B R I T T A N
      R O Y H A T T E R S L E Y
  N O R M A N T E B B I T
      D A V I D S T E E L
```

27. WORD CHAINS

```
P I P E R    M A R E    R I V E R
P I P E S    M A L E    L I V E R
P O P E S    M O L E    L I V E S
P O R E S    M U L E    L O V E S
P O R T S    M U L L    C O V E S
T O R T S    C U L L    C A V E S
T O O T S    C U L T    C A R E S
B O O T S    C O L T    C A R T S
B L O T S             C A S T S
B L O W S             C O S T S
                      C O A T S
                      B O A T S
```

28. IN THE REGIMENT

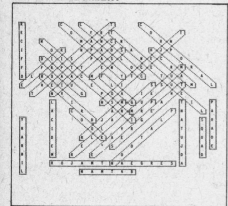

29. SETTLE

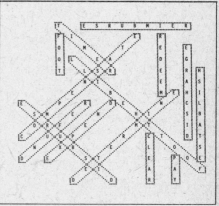

30. THE COST

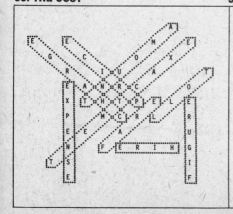

31. FOR THE LEATHER WORKER

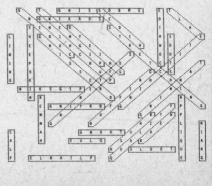

32. WILL MANAGE

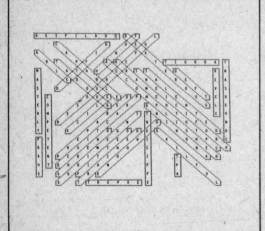

25. YOUNG

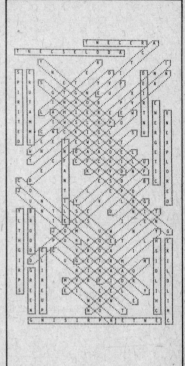

36. PULL

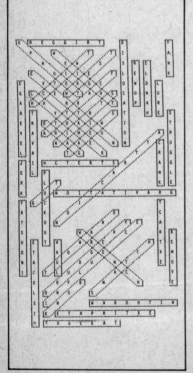

33. COUNTIES ROUNDABOUT

```
C O M P L E T E N L
M U L A T E N D A A
E E M B E R I N N R
V C R B L O C S G G
I E U S E A K I E E
E D T E S R S N R D
C E S H S A L G A R
E N I D E N I A I E
R R A E L L A F N A
E Y O R T S E D E D
```

34. ON LAND

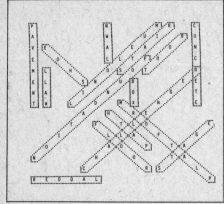

35. IN WATER

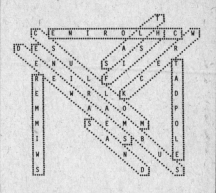

37. CROSS JIG

```
WATCH   S   F   LIGHT
E   R  ATHLETE  R   E
ABOUT   A   E   VIOLA
R   V  ENNUBLE  W   R
YIELD   D   L   ERNES
    N   E  TYKES  E   X
STIGMA   A   OPAQUE
    E   E  LOYAL  D   D
PRONTO   A   IRENIC
    I   D  NAKED  R   N
AMASS   V   X   USAGE
S   Z  TRAITOR  M   N
PATIO   U   E   GRAND
    I   E  PENANCE  Z   E
COCKS   T   T   DREAD
```

38. USED IN INDUSTRY

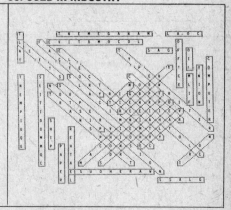

39. OFTEN DESERVED

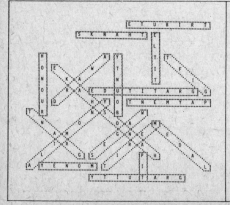

40. OFTEN NECESSARY

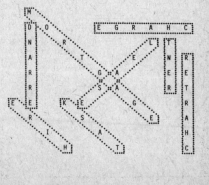

41. WHAT CHEMISTS KNOW

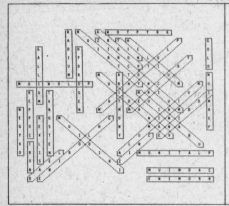

42. JUMBLIES

```
S   SIMPLER  S
OTIC  O  A  IONS
  O  ADDICTS  U
LAIR  E  E  EBBS
  E  N  BLADE  E  E
  INCUR  G  RELIC
  S   L  IDLER  I   E
USING  O   EMEND
  R   N  SOWED  V   E
EVER  C   P  EELS
  I   ANCHOVY  A
FLOG  U   C  OWNS
  E  EARSHOT   E
```

43. FOR PLAYERS

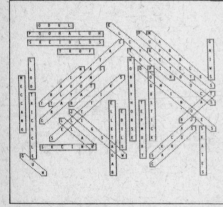

44. LIVING PLACES

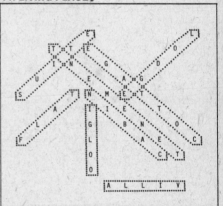

45. NOT REVEALED

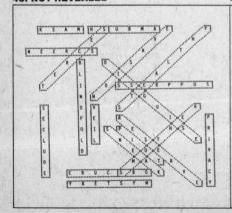

46. PUBLIC

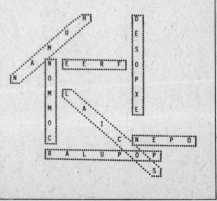

282

47a. THE BOOK

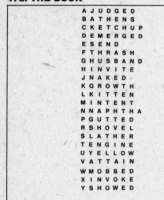

```
A J U D G E D
B A T H E N S
C K E T C H U P
D E M E R G E D
E S E N D
F T H R A S H
G H U S B A N D
H I N V I T E
J N A K E D
K G R O W T H
L K I T T E N
M I N T E N T
N N A P H T H A
P G U T T E D
R S H O V E L
S L A T H E R
T E N G I N E
U Y E L L O W
V A T T A I N
W M O B B E D
X I N V O K E
Y S H O W E D
```

47b. THE QUOTATION

The evening ended agreeably, guest thanked host and said he would think things over and let him know. Jake went to bed and slept much better than the previous night.

48. PILE UP

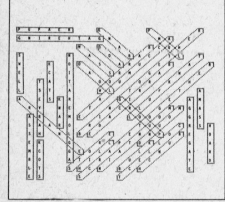

50. OPEN DOOR

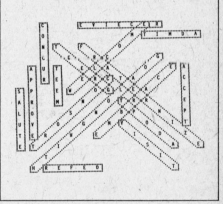

49. 'S' IN THE KITCHEN

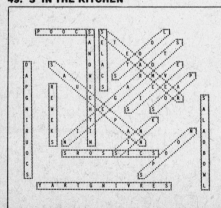

1. Salad Bowl
2. Sandwich Tin
3. Saucepan
4. Scales
5. Scissors
6. Scoop
7. Scouring Pad
8. Serving Tray
9. Sieve
10. Sink
11. Skewer
12. Soap
13. Spoon
14. Steamer
15. Stool
16. Storage Tin

51. REJECT
52. CARD GAMES

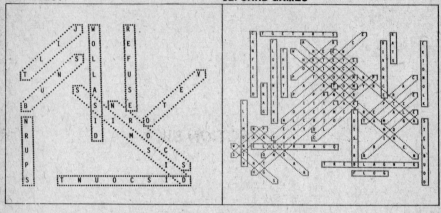

284

SECTION SIX

Answers to tnis section on pages 314–320

Puzzle submitted by reader Mrs. A. Irving, Leatherhead, Surrey

1. ALL CARRIED

BABIES
BAGS
BATTERY
BRIEFCASE
BUCKET
CARGO
CONVICTION
DOCUMENTS
ELECTRICITY
FIRST AID KIT
FLAG
FREIGHT

FUEL
GERMS
GOLF CLUBS
HANDBAG
LOAD
MACE
MAIL
MESSAGES
MILK BOTTLES
PARCELS
PASSENGERS

RADIO
RUBBISH
SCHOOL BOOKS
SHOPPING
SPORTS BAG
SUITCASE
SWORD
UMBRELLA
VIOLIN
WATER
WEIGHT

```
T  I  K  D  I  A  T  S  R  I  F  G  A  L  L  E  R  B  M  U
N  B  L  K  X  G  V  A  P  S  L  E  C  R  A  P  T  U  C  H
E  A  N  F  N  R  N  N  U  A  T  H  G  I  E  R  F  K  S  B
S  T  I  B  D  U  S  I  O  S  S  G  A  L  F  I  X  I  E  B
A  T  L  V  A  D  E  H  P  I  Z  S  Y  B  L  O  B  Y  L  H
C  E  O  B  O  M  I  C  V  P  T  H  E  Q  J  B  Z  B  T  L
F  R  I  H  L  C  B  Y  B  C  O  C  Y  N  U  H  E  D  T  I
E  Y  V  R  E  T  A  W  K  G  B  H  I  R  G  L  E  F  O  A
I  B  S  K  O  O  B  L  O  O  H  C  S  V  E  E  F  W  B  M
R  F  A  R  S  O  S  X  T  O  S  D  C  C  N  U  R  U  K  G
B  M  N  G  A  T  G  B  U  E  T  P  T  C  T  O  C  S  L  E
Z  P  E  Q  S  D  N  R  U  K  S  R  O  G  T  H  C  Q  I  N
T  K  C  S  T  L  I  E  A  L  I  A  D  R  A  A  G  H  M  I
L  E  U  F  S  M  U  O  M  C  C  S  C  D  T  B  M  I  Y  G
O  Z  K  J  V  A  Y  X  I  U  M  F  R  T  T  S  D  X  E  Z
C  Y  O  C  L  C  G  T  D  R  C  O  L  Z  I  B  B  N  M  W
W  V  A  G  U  E  Y  E  E  A  W  O  M  O  T  U  Q  A  A  Y
B  N  U  X  V  B  D  G  S  S  D  K  D  J  G  C  S  M  G  H
```

ANGELICA
BAKING POWDER
BIND
BLEND
BOWL
BUTTER
CHERRIES
COCOA
COCONUT
COFFEE

CORNFLOUR
CREAM
CURRANTS
DATES
DECORATE
EGGS
FLOUR
FOLD

ICING
JAM
LARD
MARGARINE
MARZIPAN
MIX
NUTS
OVEN

RAISINS
SALT
SPOON
STIR
SUGAR
SULTANAS
TIN
YEAST

2. FOR CAKES

```
N T U L E M A J Y C R E T T U B I A H X
G U K R C V J K V V J G D Z H H O S R E
T N T G I K U N S I I M K D O N . P U A B
K E E S T T A P C A I X C X F E E L I B
N S Q U M P S I X D L U S T X V T T S O
O R F V I G N X I N R T M U I O A A I W
O L O Z R G K O M R W E L K A N R N N L
P A R Y B E C Z A C N V W A X V O A S A
S A G L T R D N R I B M R V R N C S X M
M B E E E S T W R R Q Q H B R D E S C J
M N G A K S A A O C B A L U K H D C O E
D L M I O C G E O P C W O P S N H D F E
A X C R T R Y C Y I G L X L W E X Q F G
S Z H O A U O T L W F N Q Z R V R R E G
U P D M C N M E Q N O D I R G U J B E S
G T N U U O G Y R V L T I K O S E T A D
A A I T K N A O E O S E V L A F R Y M V
R T B V A N C A F F S I F O S B Z I L R
```

```
X  B  R  T  Q  L  L  I  H  C  R  N  X  R  V  X  S  L  L  C
S  F  O  O  M  O  D  G  N  I  K  F  E  W  N  J  A  D  G  E
U  R  M  H  Y  I  H  I  I  K  S  G  B  I  A  T  N  R  C  Y
G  O  S  W  B  A  T  C  P  Q  A  K  A  Y  S  V  U  A  V  Q
N  S  J  Y  F  G  L  X  R  L  Q  M  P  Y  T  N  L  Z  L  Y
D  T  F  I  R  D  P  T  I  A  O  U  R  H  B  A  E  Z  G  T
T  T  W  R  O  L  C  A  Y  D  N  C  R  M  P  A  Y  I  C  S
N  O  U  G  Z  N  O  I  T  A  N  O  R  O  C  T  K  L  J  E
J  L  B  K  E  K  F  E  F  L  N  T  M  S  N  N  Z  B  H  J
E  D  G  O  N  I  M  U  U  E  N  H  E  G  D  K  G  U  F  A
U  K  D  B  G  I  C  E  M  N  Y  X  I  W  S  I  G  I  J  M
L  K  A  O  R  G  X  J  C  F  I  E  U  T  A  C  N  X  E  U
C  C  C  L  M  L  A  E  R  V  R  T  A  K  D  C  I  O  M  R
R  O  H  N  F  W  C  N  L  E  V  T  E  L  T  W  Z  H  A  H
O  U  W  Y  H  W  R  L  V  C  E  H  O  R  P  L  E  S  W  L
W  R  G  I  Z  M  O  O  E  M  I  C  F  Q  M  C  E  U  A  Q
N  T  T  W  V  R  S  N  Y  T  H  C  W  P  H  G  R  L  H  M
J  E  E  L  T  S  A  C  S  B  D  K  I  W  R  S  F  S  T  V
```

3. SNOW QUEEN

BLIZZARD	DRIFT	PALACE	SLUSH
CASTLE	FREEZING	REALM	SNOWFLAKE
CHILL	FROST	REGALIA	SOVEREIGN
COLD	FROZEN	REIGN	STATE
CORONATION	ICE	RETINUE	THAW
COURT	ICICLE	RIME	THRONE
CROWN	KINGDOM	ROYALTY	TOBOGGAN
CRYSTAL	MAJESTY	RULE	WET
DOMAIN	MONARCH	SKI	WHITE

4. AT CROSS-PURPOSES

ALTERCATION
AT LOGGERHEADS
BAD TERMS
BRAWL
BREACH
CAT AND DOG
CLASH
COMMOTION
CONTENTION
DIFFERENCE
DISCORD
DISPUTE
DISRUPTION
DISSENSION
DISUNION
DIVISION
FACTION
FEUD
JAR
JOSTLING
ODDS
POLEMIC
QUARREL
RIFT
RIOT
RUPTURE
SCHISM
SHOCK
SPAR
SPAT
SPLIT
SQUABBLE
SQUALL
STRIFE
TIFF
VARIANCE
WORDS
WRANGLE

```
H M S I H C S N D E C B G J
C W P I S S O I R I B A H O
A Q Q G D I S U M G N S T S
E Y G R N C T E N O A I E T
R X O U O P L M I L F P L L
B W S R U O X S C F K J B I
T I D R P W N L I M S V B N
D G E C N E R E F F I D A G
Z N S T S N S A S X W K U N
I A U S F G O H N T W D Q L
O E I B D I O I O G R R S T
D D A A S D R D T C L I A P
S V U V D B Y A D C K E F N
M Q B A A P L L W N A H P E
R B R R E A L T S K A F K C
E V A I H S A E J P D T O S
T Y W A R P U R D J A M A J
D R L N E L Q C V N M T I C
A S S C G I S A A O N H C O
B V W E G T D T T P T D D Q
D S M G O O D I S G I D I U
V I G Z L L O O V S S C Y A
R P S C T N O N R I V P Z R
N G G P A R U U U R S S P R
E R B L U F P D D F K I E E
D I N O I T N E T N O C O L
N O X J I M E X A O Y H P N
T T A O A D U E F X J J L V
F R N I O F E R A P S H F J
```

Puzzle submitted by reader Mr. C. Mortimer, Brighton, Sussex

5. CULTIVATION

AGRONOMY
ALLOTMENT
ARABLE
BOTANIC
CONSERVATORY
DELVE
DIBBLE
DIGGING
FARMING
FIELDS
FLORIST
FORESTER

FORESTRY
GARDENING
GEOPONICS
GREENHOUSE
HARROW
HOE
HUSBANDRY
NURSERY
ORANGERY
PLOUGHMAN
RAKE

REAPER
RURAL
RUSTIC
SOWER
TILLAGE
TILTH
TRANSPLANT
VINES
VINTAGE
WOODCUTTER
YEOMAN

```
R  E  W  O  S  X  Y  R  E  G  N  A  R  O  T  C  I  C  Y  V
W  T  R  E  G  A  L  L  I  I  S  T  R  E  T  S  E  R  O  F
B  O  D  E  P  Y  R  O  T  A  V  R  E  S  N  O  C  O  U  C
Q  J  R  E  T  F  R  F  R  R  U  J  O  G  J  G  I  S  K  F
P  E  X  R  P  T  L  E  N  U  T  L  N  M  P  R  T  L  F  K
U  O  E  X  A  O  U  G  S  R  R  I  N  V  V  E  S  G  R  T
X  H  H  R  R  H  N  C  A  R  N  A  L  F  I  E  U  K  Y  A
B  M  E  I  Y  I  N  N  D  E  U  V  L  T  N  N  R  Y  B  R
H  O  S  Y  M  M  S  Y  D  O  I  N  N  Z  E  H  E  B  D  A
R  T  T  R  R  P  O  R  R  N  O  E  H  N  S  O  W  P  E  B
P  R  A  A  L  T  A  N  T  D  M  W  A  R  M  U  V  D  L  L
D  F  A  A  N  G  S  A  O  T  N  M  L  A  T  S  H  C  V  E
D  F  N  K  R  I  G  E  O  R  H  A  N  D  N  E  K  P  E  M
T  T  V  T  E  E  C  L  R  G  G  Q  B  K  S  D  L  E  I  F
I  Z  D  W  P  I  L  Z  U  O  Y  A  N  S  E  L  B  B  I  D
L  E  H  D  A  A  O  O  Y  R  F  U  X  X  U  K  B  Y  U  O
T  X  L  X  E  S  L  G  N  I  G  G  I  D  D  H  U  E  S  L
H  R  B  U  R  P  M  R  C  Q  K  S  C  I  N  O  P  O  E  G
```

6. BARBARIC

```
G D L R N C Z T V V W U O C
H C J H T U O C N U N X J R
X S R E Y U Z D P T W S X X
F G I U E F N V U D A D P S
P S C T D C U T E N E R J X
B L L W U E O N A Z I Y X D
V Y W P G R R V I M S D E Y
P T B K E A B L I G E P H Q
S R J D E P I T E R O D O O
A Y I L Y V I B N L O V E X
V T N M I V F G E E P U X D
A U L C E I X V N Y I M G D
G A N A E V E T K O Q C I H
E U U R N D A G T V R T N S
D E C C R I O L O D I A I A
C E F E T H G U A T N U N L
E L D U W H L I T R H M I T
H N C N A B P A R E L I C O
U O A C R F R Q G O K R C D
S N O U P X I E R H U L E D
X H P L X E S C V E R G E A
P C W T B W T L L K N I W T
W E D U R O I P Z A F R C A
J R N R Q A N L H I B P J V
T W M E V W E C D J C E M I
R H S D U J N O F I J Q C S
P Z J F Y U M G W N P H N T
N E E R G N A M U H N I L I
C G G I U L A M I N A A M C
```

ANCIENT
ANIMAL
ATAVISTIC
BRUTISH
CRUDE
CRUEL
FIERCE
GOTHIC
GREEN
IGNORANT
INHUMAN
ORIGINAL
PRIMEVAL
PRIMITIVE
PRISTINE
RAW
ROUGH
RUDE
SAVAGE
SIMPLE
UNCHANGED
UNCIVILIZED
UNCOUTH
UNCULTURED
UNDERDEVELOPED
UNLEARNED
UNMODIFIED
UNTAMED
UNTAUGHT
UNTUTORED
WILD

1. Ring it for service
2. Wait here
3. Prepare pupils for exams
4. Leader
5. Where you are going
6. Charge for a ticket
7. Get petrol here
8. Act of travelling
9. Baggage
10. Persons on board
11. Chairs
12. Price label
13. Schedule
14. Upstairs

1. B - - -
2. B - - S - - -
3. C - - - -
4. C - - - - - - - - -
5. D - - - - - - - - - - - -
6. F - - -
7. G - - - - -
8. J - - - - - - -
9. L - - - - - -
10. P - - - - - - - - -
11. S - - - - -
12. T - - - - -
13. T - - - - - - - -
14. U - - - - D - - -

A DOUBLE PUZZLE
Solve the clues to find the list of words hidden in the puzzle. The answers are in alphabetical order.

S	A	M	D	V	Y	Y	S	N	P	I	R	W	X	U
E	G	A	R	A	G	B	R	J	W	Z	T	K	F	Q
K	S	N	B	T	R	X	E	X	F	I	T	G	D	Y
H	C	I	V	O	I	P	G	L	C	H	V	E	Q	E
C	Q	E	C	G	O	M	N	K	L	O	S	N	X	N
A	P	E	D	W	N	F	E	E	X	T	K	T	M	R
O	G	O	G	R	A	T	S	T	I	R	R	Q	S	U
C	X	W	T	R	E	X	S	N	A	O	A	E	T	O
B	G	O	E	S	W	P	A	S	T	B	A	B	R	J
H	V	S	K	K	S	T	P	C	S	T	L	J	O	Y
O	X	V	Q	Z	I	U	U	I	Z	R	E	Z	S
K	J	B	D	O	E	D	B	N	K	Q	T	E	U	W
A	K	N	N	N	B	G	D	O	H	W	M	Y	I
A	S	A	H	O	E	G	A	G	G	U	L	T	H	H
H	A	C	C	Q	N	F	T	H	M	N	Q	E	C	D

7. TAKE A BUS

8. AT THE STABLES

```
H A W I W S B R Q S T Q C B N
J R W S N J S E C N E F O R T
V I A G L S T A H P D O E B P
T D K Y D L T S X O T I X F C
R E C H A N A R F S N U T V Z
A R O F K H U T U S P I H W W
I S D O P F R U S C P U X V T
N S D J S P U R R I T S X R I
I C A D S E L D D A S O J Q K
N E P E U A T B F E J U R M E
G E T S A R R F I B M D L T J
S A G Z O I F N R P W F R P S
G J F U D V O G S S E S R O H
F I G L O P C U A G G K C J J
O H E A H K X A X Z J O F H S
```

BOOTS
BRIDLE
FENCES
GATES
HAT
HAY
HORSES
INSTRUCTOR
JUMPS
PADDOCK
PONIES
REINS
RIDERS
SADDLE
STALLS
STIRRUPS
TRAINING
TROUGH
WHIP

9. AROUND THE COURSE

ARC
BALL
CADDIE
CLUBS
DRIVE
FLAG
GREEN
STROKE
SWING
TIE

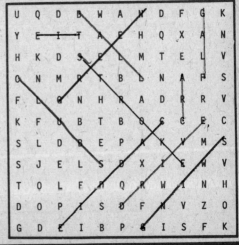

```
U Q D B W A N D F G K
Y E I T A E H Q X A N
H K D S E L M T E L V
O N M R T B D N A P S
F L O N H R A D R R V
K F U B T B O C E C
S L D R E P A K V M S
S J E L S D X I E W
T O L F N Q R W I N H
D O P I S O F N V Z O
G D E I B P G I S F K
```

10. OVER-INDULGENT

I wish I could see round corners..

BLOW-OUT
BOLT
CRAM
DEVOUR
EDACITY
EPICURE
FEAST
GASTRONOME
GLUTTONY

GOBBLE
GORGE
GREEDY
GULP
GUZZLE
HIGH LIVING
HOG
INSATIABLE
LIKE A HORSE
LOCUST

OVER-EAT
OVER-FEED
PAMPERED
PIG
RAPACITY
STODGE
STUFF
VORACITY
VULTURE
WOLF DOWN

```
A M J Q S T S D C K M I E Z F Y X V A Y
E A Y W T F A E L V N D D A A T D G L I
L R N D U K Y E D P L L A D S I J A Y B
B C O G F O V F R J I G C E F C L S B H
B D T I F V W R W E G L I G M A I T P J
O Y T Y N C C E M O V R T D P P K R T A
G Y U B P S U V E T L O Y O A A E O V N
R T L O A O A O Y R A F C T Q R A N B I
E I G W M Y G T Q L U L D S E O H O K B
H C M C P E A O I F M T O O E L O M D A
R A W T E B G M H A T T L C W Q R E D F
F R L O R P C R E F B L S U U N S G R S
X O D Y E S E P O X A L O Y V S E R C Y
J V Z P D L I M R G K O E B W O T U K X
D O L Q Z C G I P T U O W O L B X O D N
X U Z Z U W W G N I V I L H G I H V I O
G W U R S N E Z B M T S A E F S Y E Z S
Y G E Y D E E R G N W P R R D C I D S H
```

11. SHOWING YOU THE WAY

ALIGNMENT	EQUATOR	NAVIGATION
ANTENNA	GIMBAL	PLOT
AXIS	GYROSCOPE	POLE STAR
BEACON	LANDMARK	POSITION
BEAM	LATITUDE	RADAR
BEARINGS	LIGHTHOUSE	RADIO
BUOYS	LIGHTS	READING
CHART	LONGITUDE	SATELLITE
COMPASS	MAGNETIC	SOUNDING
DEGREE	MAP	SUN
DEVIATION	MERIDIAN	TRANSMISSION

```
U G M L M C S A E P B P G D U M E N R W
B P V I M I X Y F T G E L N E F D S A D
S O W G W I Z P O L I I A Y I G C K D A
T S I H S W T A A U N L M C P D R D A V
H I C T Q X S M I M B P L B O S N E R I
G T I H M K R A M D N A L E A N U U E Z
I I T O S L V X Y R Y D N R T L U N O R
L O E U G A N O I T A I V E D A O I O S
I N N S N T O L P U G Y N V N I S T G H
X G G E I I I T T C W A O A S B A Y N R
K N A A R T I X A N V D I S S U R K A E
I I M C A U Z N C I E D I S Q O T T I V
M D B N E D T G G Y I M A E S I S P G C
A A V F B E M A C R S P N C R E U Z V J
E E A L N Z T H E N M I O G L P K N Q W
B R Q N G I A M A O N P X O I U I D A R
T S A J O R G R C Z E N P D J L U B S A
L Y N N T D T E D U T I G N O L A F R S
```

12. SELLERS

AUCTIONEER
BARROW-BOY
BOOKING-CLERK

BOOKSELLER
BUTCHER
CANVASSER
CHANDLER
CHEMIST
CLOTHIER
CONFECTIONER
CORN-CHANDLER
COSTER
CUTLER
DEALER
DRUGGIST
FISHMONGER

GREENGROCER
GROCER
HABERDASHER
HAWKER
IRONMONGER
MILKMAN
NEWSAGENT
PEDLAR
SADDLER
SALESMAN
SHOPKEEPER
TOBACCONIST
VENDOR

```
R E K W A H T C C C C R E F R E L T U C
C U E K R N O O E N L H E O D J D M P I
B S M G O S E N B A A O E S R E C O R G
D V Q R T C T W R A R M T M S P A L F W
K X Z E F R O S S E C E K H I A M L W K
A D R E I B E R I A N C H L I S V I E X
E Z S N V O T G N G G O O C I E T N R R
A I H G F O Y B N C G E I N T M R E A L
A X O R W K R O U O H U N T I U H M R C
U R P O Z I J O B T M A R T C S B E Y U
C E K C T N B K Y W M H N D A E T T F D
T L E E L G H S H N O G S D R L F W Y H
I D E R K C N E K Z A R R I L O J N L Q
O N P W P L C L I T H E R D F E D Z O C
N A E S Z E G L Y P B F Z A U H R N J C
E H R A E R S E R A L D E P B N F T E S
E C Q A A K D R H Q C N A M S E L A S V
R Q U R E L D D A S R E G N O M N O R I
```

13. ON THE HEAD

```
Q U D J Q W T Z Y O E S Q H U
Z I U O I T A L W R I D A U B
B Q B G R I H W R E R T F Q E
L B U I F E P J E R D B O T R
L J L I E J O H L B S O C G E
N B N D I O T S W M K A O N T
Y V T V H S U M O O U T C N L
V D T Z C C Z B B S L E I A S
P B H T R G L R A S L R P Z P
Z I E E E S V O S M C T D O E
L U L Q K D O C C D A G S F N
O H M L S W A L O H P N K E Q
Y J E D B R Y O L T E C A A P
Y Z T G F O H T E N N O B P B
O K O V Q F X S N O S T E T S
```

BERET
BOATER
BONNET
BOWLER
CAP
CLOCHE
HAT
HELMET
HOOD
KERCHIEF
PANAMA
PILLBOX
SCARF
SKULL CAP
SNOOD
SOMBRERO
STETSON
TOP HAT
TRILBY
WIG

14. PEACE

```
B L O P N Y A L Y S Q
J U O L M C M T F P C
H Y U V C F I Y R T A
P L V O E M Y T I N U
L R R Z A Y N O I N U
W D R H H T T R T W L
E E H U P A K I R D C
K C S L M E E D U H L
G H A M T R M R C V K
E B C L Q T B V E C I
F R G B M D K Y O E K
```

ACCORD
AMITY
CALM
HUSH
LOVE
LULL
TREATY
TRUCE
UNION
UNITY

298

15. MUSCLE

AUTHORITY
BATTER
BRAWN
BUTT
CROWD
EFFECTIVENESS
ELBOW
ENDURANCE
FITNESS

FORCE
FORCEFULNESS
HEFT
IMPACT
INFLUENCE
JOSTLE
MIGHT
MUSCULARITY

POKE
POTENCY
POWER
PROWESS
PUSH
RAM
ROBUSTNESS
SHOULDER

SHOVE
SQUEEZE
STAMINA
STRENGTH
STURDINESS
TRAMPLE
VIGOUR
VIM
WEIGHT

```
L V Y N P H N M E C N A R U D N E T M P
S X U O X W S S T Y E C N E U L F N I F
P S K S A O G U T Q Z N Y M J O T T U B
O E E R T Q B I P T C Y T V R S P E L O
W T B N N A R A K A H C I X N S T Z C E
E F C V E O M H T G N E R T S E X E R L
R E I S H V I I K T W F A B X N T E O T
E H P T I L I A N O E S L Q T L E U W S
B N U O C S Z T B A S R U S G U A Q D O
X A F L T U T L C E Q W C V S F M S H J
I T F S S E E U N E Z V S I F E V N Q H
S U H Q H H N T R S F T U A O C W M A R
I R T G E O S C S D M F M E R R J O L I
Q U N Y I U U E Y X I G E V C O T S R M
G O H F B E N L E E G N M O E F V F W P
L G U O K T W H D X H Y E H V P M P M A
H I R E I I N Z E E T T P S A K T U I C
D V N F G E L P M A R T R L S E E A V T
```

16. ON A DESERT ISLAND

Puzzle submitted by reader Mrs. C. Moore, Eastleigh, Hants

ANIMALS
ATOLL
BANANA
BEACH
BIRD
BUDGERIGAR
CACTI
CASTAWAY
CAVE

COCONUTS
CORAL
CRAB
DATES
FLOWERS
FOREST
LAGOON
LAKE
MOUNTAIN

NATIVE
PALM TREES
PARROT
PEBBLES
RAFT
REEFS
SAND
SEAWEED
SHELLS

SHELTER
STARFISH
STONES
SURF
TURTLE
VINE
VOLCANO
WATERFALL
WRECKAGE

```
T O L B Q U B L Q F D R M P D A Y M X L
Y K D R I B U A P X A N A T M N I G C E
Y B H L B R D K A S T P S F L Z A E B P
S A E B C R G E Q A E F E E T A K S A V
C A W E L D E N I V S G R Y L X G L J V
E S L A H P R O Y F A T E U L B M O K P
S T L C T H I Q S K L I S C S T B Q O B
L O O H P S G S C T D L O L R W V E Z N
L N T C B G A E T H U N A E A N P F P D
E E A E Z D R C O A A N E F J M L E E I
H S D E E W A E S C R S O F R O I P H M
S V K V F E Y I L S E F N C W E B N K T
B C Z P V F B O X N T U I E O T T K A S
A O X I B T V I T V N O R S Q C S A K E
N R T N I A T N U O M S R R H A F O W R
A A S Y A C E L T R U T N R A V E S K U
N L M A A I S R E T L E H S A E E L C F
A C O C F B B A R C M S Y L W P R H T J
```

17. HORIZONTAL OR VERTICAL?

AERIAL
ARCHITRAVE
BEAM
CAPITAL
CHIMNEY
COLUMN
CURTAINS
DRAINPIPE
FENCE
FLOOR
HORIZON
JOIST
LEDGE
LEVEL
OBELISK
PENDULUM
PERPENDICULAR
PILLAR
PLINTH
POST
PRONE
PROSTRATE
RAFTER
RAILING
SCAFFOLDING
SCREEN
SHELVES
SIGNPOST
SKIRTING
STEPS
SURFACE
TABLE
TREE TRUNK
UPRIGHT
WALLS
WASHING LINE
WINDOW SILL

```
C N J L P W D Q X M O W J L
N E E P I P N I A R D Y R T
O E H J K P G S U S H O S R
Z R V E R N E R E T O I A W
I C K O I V P W N L O L Z K
R S N L L P L I F J L E Z I
O E I E N I L G N I H S A W
H A H L F P L L P N Z M S Q
R S G N I T R I K S T E T X
H M E E D B P F C A W H S G
R Y Y L P F D E X O E T O X
R A L U C I D N E P R E P E
U J F V Z M F C J G B X C F
W F T T N W U E H C P A A P
D G L H E E I L A U F K R G
Z N V A G R G E U R L O R O
S Z E K T I R D U D S S O T
L L J V J I R S E T N O B R
L E H G A X P P R L S E B E
A S W L N R N A U D C Q P E
W S I I A I T M C U Z M M T
H Y N G N E D I U C H M E R
K Y C I N D Y L H L K L L U
C S E C A P O B O C O T B N
S L I N L T O W E F R C A K
T E A L M O R S S A F A T X
E V M R E I B U T I M A E B
P E S A D B H Q C O L G C K
S L E D X A O C J N Y L N S
```

18. HIGH JINKS

N	C	K	I	U	L	U	F	Y	A	L	P	H	Y	A
W	A	N	J	H	G	U	A	L	H	J	S	T	K	M
P	C	N	E	E	R	O	F	K	K	T	I	A	D	R
L	X	E	Z	C	T	U	F	H	T	D	R	J	N	I
L	R	E	G	A	N	N	T	N	N	P	V	O	Y	U
A	U	K	X	N	F	D	E	U	J	E	M	I	P	G
R	O	N	X	D	I	M	C	M	T	K	G	E	B	S
K	M	F	B	N	I	O	L	G	E	C	N	J	G	V
I	U	T	R	R	J	E	G	B	A	S	C	Q	B	W
N	H	X	R	O	J	N	A	Y	Y	I	U	V	K	A
G	C	E	D	V	L	C	M	D	T	T	E	M	T	S
I	M	M	W	S	V	I	N	P	D	R	L	T	A	S
Y	H	T	R	I	M	I	C	R	M	I	A	I	Y	A
E	E	L	G	N	H	V	I	E	F	Y	Z	P	K	I
K	R	B	S	S	E	V	I	T	S	E	F	T	W	L

AMUSEMENT
FESTIVE
FROLIC
FUN
GAIETY
GLEE
HUMOUR
JOCUNDITY
LARKING
LAUGH
MERRIMENT
MIRTH
PARTY-GOING
PLAYFUL
SHINDY
SPORT
WASSAIL

19. PLAYING LACROSSE

BALL
BLOCK
CATCH
CHECK
DEFENCE
DODGE
GRIP
PLAY
STICK
ZONE

P	I	R	G	B	Y	T	E	B	D	C
W	Z	M	T	L	J	M	K	E	K	B
Y	A	L	P	O	A	P	F	W	F	K
L	T	L	N	C	F	E	Z	N	C	R
C	X	C	Y	K	N	F	A	E	L	M
A	O	F	A	C	S	B	H	K	Q	Q
F	W	G	E	T	K	C	E	U	E	O
K	G	Y	G	F	C	S	R	L	G	A
F	E	N	O	Z	I	H	K	L	D	B
C	U	S	R	Q	T	W	L	A	O	H
X	G	U	C	Q	S	V	M	B	D	W

```
S F I L L E W M O R C C O V V I T C A R
V T A P H D G K C Z T F I W S A E A W X
F B A A Q T S O E U Z S L L E T R D U G
U L R N X A C E V K U O I R Y N R J A E
K D S X L K Y O L I B P G N R O Y H E K
Y O V A E E N U N O T S R E M L A P T I
L M D R H I Y P Y S P G I S I S U M S O
B I E B L K E I V H T L V R K I G I U N
N L L E S S U R A O P A A J M O T A O R
L E Q X O W R R B E L L B W O T H I C O
N Y H I I E G T P O J T X L A X O V B H
A W V Q P R T Y O U T I A L E D L O E T
M F E W E E S N I D G I R I E G B G C Y
R S O A P D N D E J A A H V R X E E A E
E C V A E A N A C G C R S O I E I S L L
H E R D J P P L F S R A N U R N N A L X
S K A B M Z V E W Q M A B O D I G E A U
T W X S U B M U L O C F S N C T H D W H
```

20. SOME FAMOUS PEOPLE

COCKERELL
COLUMBUS
CONRAD
CONSTABLE
COUSTEAU
COWPER
CROMWELL
HARDY
HARGREAVES

HIROHITO
HOLBEIN
HUXLEY
IRVING
PADEREWSKI
PALMERSTON
PARK
PEPYS

RUSSELL
SALADIN
SARGENT
SCARLATTI
SEGOVIA
SHERMAN
STANLEY
SWIFT

TELL
TERRY
THORNDIKE
TYNDALE
VIRGIL
VOLTAIRE
WADE
WALLACE
WALPOLE

21. BAD MANNERS

Puzzle submitted by reader Mrs. G. Thomas, Cardiff

ALOOF
ANIMOSITY
BLUNT
BOORISH
BRUSQUE
CHEEKY
CHURLISH
CRUSTY
CUSSEDNESS
DISCOURTEOUS
FORWARD
FUMING

GROUCHY
GRUFF
GRUMPY
IMPOLITE
IMPUDENT
INSULTING
NAGGING
OBNOXIOUS
ODIOUS
PEEVISH
PETULANT
PIQUED

ROUGH
RUDE
SCOWLING
SNAPPISH
SOUR
SULKY
SURLY
TESTY
TRUCULENT
UNCIVIL
VENOMOUS
VULGAR

```
Y F H G W O T Y H A B F M L X S G B T P
O P F X G J T H J C V O I F C J N O E Y
F D M U Y U N W H T Y V S O H P I O S T
O K I U R R A Y B N I T W F I D T R T S
O S J O R G L L A C W L I Q I L L I Y U
L Y S O U G U R N A I F U S Z T U S J R
A D K S F S T U S N C E C H O O S H H C
T A L L E R E S G H D O K S U M N Z B X
N O S E U N P X U J U W N I X G I L H O
E I U R U S D R S R Q E A P F K U N B J
D M O U R Q L E T F N B G P W N C N A G
U P M D F I S E S F D S G A T E O Y R B
P O O E S O O U U S H J I N D X K O L S
M L N H R U R M R G U S N S I E U R O Y
I I E Y S C I W U B J C G O E C I U Y B
I T V X T N Y O A T C M U H H R R X I C
R E S D G M R Y N R Q S C Y R A G L U V
V T N E L U C U R T D H S I V E E P A E
```

```
G P U Y X N E S K H N J E S O L C T E G
R J A E C I S S L E J P E U E L I T V H
A I G V T A O E T C E F N I J M C E G B
S E F A R R L R R I U P R R P E J R E C
P K H L Z T C P T E P G U R T U C U K W
K A I S Q S N M U E L C I E M O T T K X
I T X N R E E O T C N S D B A E N P G N
N R F E L R X C O I O T Z X N D G A Y L
T E D A N I W N G N N P A T C E O C I R
E V L O O G F V J E J O R N R O X P Y E
R O O K I I S N F M Z A A M G I V H T N
R J H C S M B X A R P I P R F L C E V O
U L P C S G L S S I E N E W R O E H R S
P J A K E V R I V F L T Y S N E C M C I
T T T N S H N O I T N E T T A T S O Z R
E X G A S E L U P Y N Y R N A N X T O P
L R K U O Z V J P E E O Z N Z X I F F A
Q O T W P E K A T Q L Z S T U G B S C N
```

22. CATCH IF YOU CAN

ADOPT
AFFIX
ARREST
ATTENTION
CAPTURE
CLOSE
COMPRESS
CONFISCATE
CONTROL
COVER
DETECT

ENCLOSE
ENSLAVE
ENTANGLE
ENTRAP
FIRM
FIX
GET
GRASP
GROPE
HOLD
IMPRISON

INCUR
INFECT
INTERRUPT
KEEP
NAIL
OVERTAKE
POSSESSION
PRISONER
RESTRAIN
SEIZE
SNATCH
TAKE

H	B	U	Q	T	W	P	Z	R	E	M	M	A	H	X
J	H	U	I	F	G	P	I	G	W	U	V	T	D	P
R	O	H	D	M	R	R	T	N	R	E	G	G	V	K
O	Y	B	Z	I	L	S	B	I	Q	H	L	N	S	C
W	H	N	A	T	S	E	L	H	E	Y	D	O	O	W
M	Y	P	V	E	T	A	A	C	P	Y	R	M	S	T
F	E	K	C	J	S	T	V	T	E	N	E	S	C	I
R	J	A	T	T	P	S	V	I	H	B	A	L	Q	S
R	L	O	O	Q	X	O	R	T	T	E	H	I	E	R
F	E	L	K	C	U	B	L	S	C	D	R	Z	L	T
D	M	B	H	L	G	E	S	I	K	U	R	W	M	H
X	C	D	U	N	D	U	O	T	S	V	Y	G	A	J
L	H	D	R	E	B	B	U	R	R	H	Y	R	E	L
F	W	B	X	B	Q	D	R	Q	S	A	H	T	K	C
L	E	E	H	N	Z	M	N	Q	F	T	P	A	H	B

A DOUBLE PUZZLE
Solve the clues to find the list of words hidden in the puzzle. The answers are in alphabetical order.

23. MEND MY SHOE!

24. FEMALE

```
W  N  H  L  S  C  D  T  A  Y  I  A  G  T
T  Z  A  E  S  L  S  E  N  I  A  B  A  A
N  E  S  M  A  S  N  S  R  U  W  B  Q  T
E  H  B  S  O  D  E  O  E  U  A  E  A  B
Y  S  B  R  E  W  M  T  Z  C  H  S  J  Z
I  R  S  R  O  R  E  I  S  A  N  S  M  Q
L  Z  B  E  I  W  T  C  S  O  M  I  F  Z
Y  R  O  U  R  D  N  I  I  T  H  A  R  N
R  D  I  D  I  P  E  I  A  L  R  M  T  P
J  A  A  G  Z  G  M  N  E  W  O  E  P  J
M  M  J  I  Y  F  E  E  V  E  F  P  S  Z
E  A  N  A  D  I  R  R  A  H  U  Y  K  S
A  S  I  Y  G  S  Z  I  Y  V  V  J  C  E
R  L  E  D  H  K  O  Y  Y  J  K  E  B  D
S  S  E  R  E  G  A  N  A  M  C  A  A  G
Y  O  S  I  T  N  J  S  G  E  L  U  M  Z
V  D  X  A  U  M  X  R  I  L  G  M  S  C
B  Q  A  L  L  Q  E  N  E  H  I  K  O  S
A  Q  G  L  C  H  U  R  T  S  E  M  B  R
L  N  I  H  T  E  I  E  T  F  E  Y  M  F
Y  N  N  O  T  N  R  R  I  D  Z  S  Q  D
L  W  M  O  A  S  E  W  I  Z  D  U  R  Y
E  J  S  E  D  S  I  E  X  U  V  O  R  Z
S  Q  M  S  S  A  N  S  C  H  Y  Q  W  R
M  K  U  K  E  N  M  H  T  W  C  F  V  B
A  I  G  E  E  R  E  I  P  E  I  N  Y  R
D  F  G  O  E  S  T  Q  R  K  R  T  E  N
C  X  A  I  S  N  Q  C  U  P  Y  H  C  W
D  H  H  V  Z  V  K  N  A  M  O  W  E  H
```

ABBESS
ACTRESS
AMAZON
AUNT
BALLERINA
BRIDE
BROWNIE
COMEDIENNE
DAME
DAMSEL
DAUGHTER
DUCHESS
EMPRESS
GIRL
HAG
HARRIDAN
HEADMISTRESS
HOSTESS
LADY
LASS
MAIDEN
MANAGERESS
MISTRESS
MOTHER
NIECE
POLICEWOMAN
PRIMA DONNA
PRINCESS
QUEEN
SISTER
WAITRESS
WENCH
WIFE
WITCH
WOMAN

25. MAKE YOUR LAB. REPORTS

```
S T C E V T R Z W P D T T I G
N S P H Q M U R T N E G A E R
B U B F E L F N K R C G S N M
U M E I W M I I B D A B O U I
N T A I D F I L L S D I V L F
S I K S F O S C E T T I A K L
E L E A O L P T A U E K C Q A
N Z R M I C T I L L L R B A S
R A V D X E I O R A J B F L K
P C E Z P N S G P T S B T N D
H E U I K E T N E V L O S I V
F H P B T G B I D E E G S C U
S X Y I S Y Y B Q N U T D T V
G P A A F X P U F P I B A Z Y
A T U T P O B T Q L N E T X P
```

ACID
ALKALI
BEAKER
BUNSEN
CHEMICAL
DISTIL
FILTER
FLASK
GAS
LITMUS
OXYGEN
PARAFFIN
PIPETTE
REAGENT
SLIDE
SOLUTION
SOLVENT
TRIPOD
TUBING

26. BEST-SELLING AUTHORS

BLYTON
CHRISTIE
FLEMING
GRAHAM
MACLEAN

ORWELL
POTTER
SAYERS
SHUTE
WELLS

```
L W H R I K G D E S O
S L W M Z N K C H Z I
S M E E I T S I R H C
H A O W L G I B X L M
U H U D R L Q R P S A
T A R A X O S Q B A C
E R G V N F G N L Y L
T G N I M E L F Y E E
J S O W L O A R T R A
R E T T O P U E O S N
C F C X E O M L N E W
```

27. MOUNTAIN GREENERY

```
L J Y P D F R Q V U R T E V I R P U W V
F R H Q S E W F L H C K V R R Y N D A E
F D D V P D N M Z D E E R J X I E A Z W
X P M E M F O P L S E A L S D W K R M T
Q D E E L T S I H T G W T I O C C C O Z
O R U O R K Y D I L X H V H M C A L O E
C E R E W F G Y E D R Y O Z E C R I R S
V G E V G D E Q S E I P U L T R B M B E
K D E S D A I R K E I K B U L L W S V H
E E R N R A I C N Z V D S C S Y D I F S
N S B R V O U L X S E A L P U N N M A U
D P W K Y S G Z O E X Y E L G E E S L R
W E A N U F A K W F Z L I L N H P S T L
I L E M Y D F H I P J R G K U C A O G L
R H N W P W D E A Q D R O Z F I L M V U
O Y I O A A R R R N X Q U R P L G Q C B
O X B T O E S B E I C I R C T M A T A E
T B T B Q H S T O Q O O D E E S E S T N
```

ALGAE		
BINE	GOURD	REED
BRACKEN	HEATHER	ROOT
BROOM	HERB	SEAWEED
BULLRUSHES	HOLLY	SEDGE
CACTUS	IVY	SEED
CREEPER	LEAVES	SUCKER
FERNS	LICHEN	TENDRIL
FOLIAGE	MOSS	THISTLE
FUNGUS	PAMPAS	VINE
GORSE	PRIVET	WEED

309

28. VISIT EAST ANGLIA

BEDFORD
BOATING
BRECKLANDS
BROADS
CASTLE
CATHEDRALS
CHURCHES
COASTLINE
CROMER
DENNEY ABBEY
DYKES
ELY
FENS
FISHING
FLAT
FOREST
HOLKHAM HALL
MARKETS
MARSHLAND
NORFOLK
NORWICH
ORCHARDS
OUSE
RESORTS
SANDRINGHAM
SUFFOLK
THE WASH
THETFORD
WARRENS
WILDLIFE PARK
WINDMILLS
WISBECH
YARMOUTH

```
Q L B P P U B T B I T M G A
I D M A H G N I R D N A S W
Y Y Y G N I T A O B Z R Q E
G K N K L O F F U S D K X H
L E N I L T S A O C S E B O
D S R G I D S R U N G T E L
R R N J O X L T E W L S D K
R X O Y E F A F S F Y E F H
V S Y F E A R M A E B B O A
Y Q E G T U D W M N R W R M
W E I B S E E Z B E I O D H
I E B V F O H B E S W H F A
N X S B O F T T B A T G D L
D U B J A R A E R S U A E L
M P J Z O Y C R E L T S A C
I T S F V H E H B T U K C W
L Y D S E N Q N A O G X I E
L S N L S O J L N R L L L H
S P A K G V F M C E D Y H D
N C L F Z Q E R Z L D S N C
V X K O A B O N I R A A H Y
K Q C Z D M O F E W L U A G
Y T E E E R E S E H R R N N
F R R R F P O H S C M I O B
U I B O A R T R H O H R R Q
K P L R T L A E U S W O A S
Q K K S G M S T I I A P I S
J F P N O L H F C D S B D K
I U M S U M C H S Y P Y G Q
```

1. Cluster
2. Social class
3. A doughnut forms this
4. Related families
5. Exclusive group
6. You can join this
7. Throng
8. Relatives
9. People going around together
10. Classed together
11. Rapid current of water
12. Hoop
13. Solidify
14. Store

1. B - - - - -
2. C - - - - - -
3. C - - - - - -
4. C - - -
5. C - - - - -
6. C - - -
7. C - - -
8. F - - - - -
9. G - - -
10. G - - - -
11. R - - -
12. R - - - -
13. S - -
14. S - - - -

A DOUBLE PUZZLE
Solve the clues to find the list of words hidden in the puzzle. The answers are in alphabetical order.

Q	U	N	G	F	F	Q	X	Z	L	O	H	M	E	K
S	S	S	U	C	U	P	I	S	A	T	Q	G	C	Q
X	T	Q	L	B	U	E	V	C	L	L	U	C	A	P
N	O	A	Q	O	H	W	L	R	H	U	C	L	R	W
Y	C	N	R	C	C	A	E	R	L	L	I	U	U	N
L	K	G	D	L	N	I	U	W	V	S	R	B	B	A
Q	R	G	S	Q	U	E	Q	E	Z	O	C	A	H	O
T	W	C	F	L	B	T	I	F	V	E	L	I	D	Z
X	G	W	A	N	X	N	L	S	Z	B	E	I	L	C
G	H	S	O	S	F	J	C	Z	N	N	P	C	G	E
K	V	E	P	R	T	F	C	R	G	Q	R	Z	Q	E
G	K	T	H	H	I	E	D	W	C	O	G	M	J	Z
X	D	V	N	P	U	N	X	E	W	H	G	B	I	O
W	I	N	B	O	L	R	G	D	Y	L	I	M	A	F
C	M	G	N	A	G	E	M	R	W	V	E	J	E	A

29. TRIBAL

30. TOPMOST

```
V N E P R Q U R L H O K Q W A
F W V I P G A S T R W H C K F
M O V N Z U P G S D W U Z F Q
E R S N I G O C F K L X F B J
R C T A G W G Z Z M Y E P F E
I C F C N Y E W I C D P D R U
D K R L T M E N Z X R A I L Z
I A M E N S A S N A E P E J X
A E E Z S T B I E A S T K H J
N P O U I T H X V H L N R H V
D T W O F T A C A G C B Z E C
O E N B I M P J E R X Q D W V
H L T N I B B S H T I M M U S
K P E L Y S V Z U X Q J P A F
D Z C O P I T W H C H F T C K
```

APEX
APOGEE
CLIMAX
CREST
CROWN
CULMINATION
CUSP
HEAD
HEAVEN
MERIDIAN
PEAK
PINNACLE
SKY
SPIRE
SUMMIT
TIP
VERTEX
ZENITH

31. GOING UP

CLIFF
CLIMB
COLD
FACE
MAPS
RIDGE
ROUTE
SNOW
SUMMIT
WINDY

```
T C B O R F W H K I G
C S P Y D I V W O N C
A E W E N X D C K O M
F Z C D E G D G L S A
F H Y A Z T Z D E S P
I Z K M F K U P X B S
L W A A B U F O M X N
C T I M M U S I R D S
H J U A L J L J C U N
R Y R M A C J J P F O
X P K F I G X J J W W
```

```
E S Q S B F S I S A N E V I T S E G I D
N A C R U L U E V A S M S L D W O E A X
I L T E L G N D S S O C M F J D L N A G
L I I A I A A S N L S E H C R A T S F P
A V W C R B I H E C I R T S A G U O M R
K A V B A M R C P P H R A Z J N M A A R
L T M G I R U E P O D E S K D E E G W E
A E D L N L B F A I S N W I X R U S C Z
M W A H E I C O C K A E G I T S V E S Z
X T J S E B T A H G D E O S N G I C N S
E L T U V V M A R Y S O D S N G N R I T
L Z E Z I C U O L T D O W I D E T E E O
J T L P T C N J E U O R B N M N E T T M
N S L Z I B E D B L C R A X R V S I O A
S A U R R P D S B H O R E T P L T O R C
G T G H T B O S I S E G I T E B I N P H
R D A M U V U Y B I P B A C A S N S T D
P L L F N H D A I B R E V I L W E O N L
```

32. DIGESTION

ABSORBING	CHEWING	INTESTINE	ORGANS
ACID	CIRCULATING	JUICES	PROTEINS
ALKALINE	DIGESTIVE	LIVER	SALIVA
ASSIMILATE	DUODENUM	MEMBRANES	SECRETIONS
BLOODSTREAM	FATS	MOLECULES	STARCHES
BREAK DOWN	GASTRIC	NUTRITIVE	STOMACH
CARBOHYDRATES	GULLET	OESOPHAGUS	SUGAR
			UNDIGESTED
			WALLS
			WATER

1. ALL CARRIED

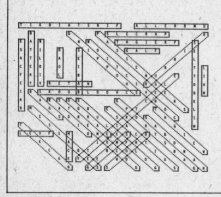

2. FOR CAKES

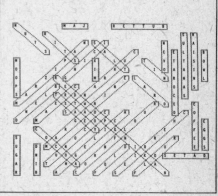

3. SNOW QUEEN

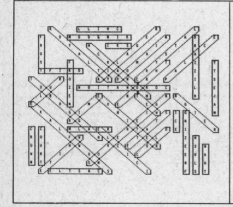

5. CULTIVATION

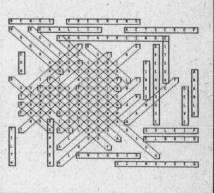

7. TAKE A BUS

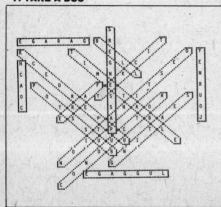

Bell
Bus Stop
Coach
Conductor
Destination
Fare
Garage
Journey
Luggage
Passengers
Seating
Ticket
Timetable
Upper Deck

8. AT THE STABLES

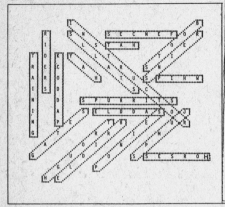

29. TRIBAL

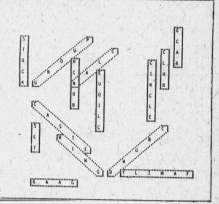

9. AROUND THE COURSE

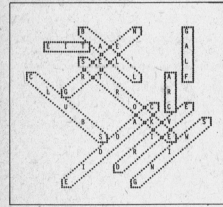

10. OVER-INDULGENT

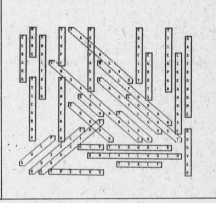

11. SHOWING YOU THE WAY

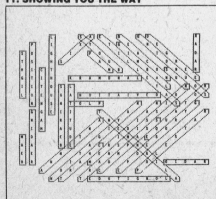

12. SELLERS

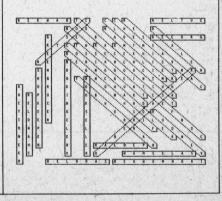

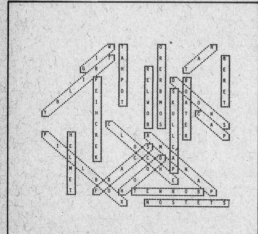

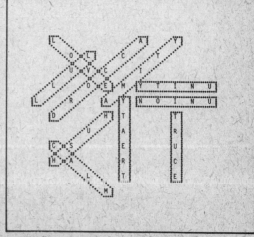

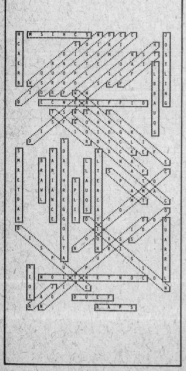

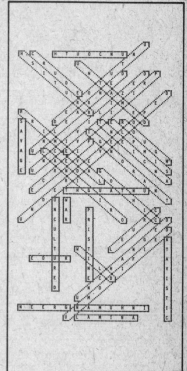

15. MUSCLE

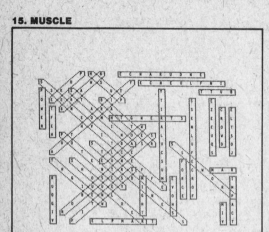

24. FEMALE

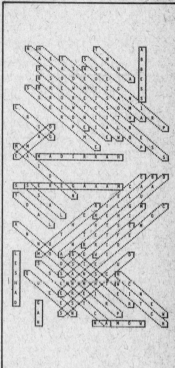

17. HORIZONTAL OR VERTICAL?

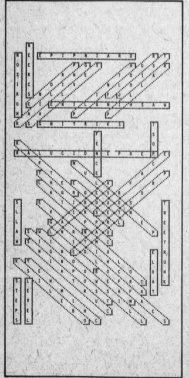

16. ON A DESERT ISLAND

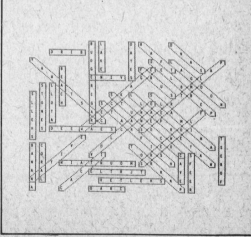

18. HIGH JINKS

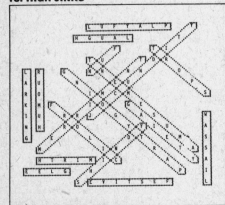

19. PLAYING LACROSSE

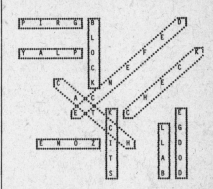

20. SOME FAMOUS PEOPLE

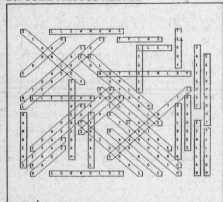

21. BAD MANNERS

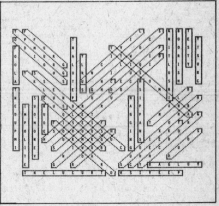

22. CATCH IF YOU CAN

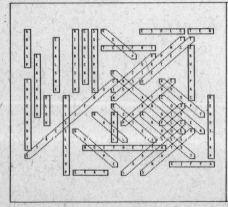

23. MEND MY SHOE!

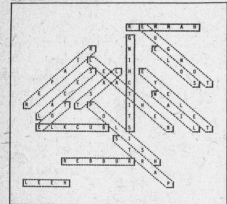

Buckle
Eyelet
Hammer
Heel
Laces
Last
Leather
Nail
Polish
Repair
Rubber
Sole
Stitching
Strap
Toe
Tongue

25. MAKE YOUR LAB. REPORTS

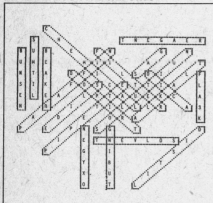

26. BEST-SELLING AUTHORS

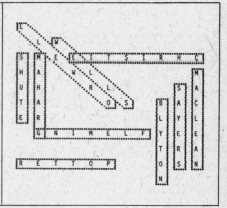

27. MOUNTAIN GREENERY

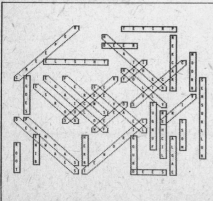

30. TOPMOST

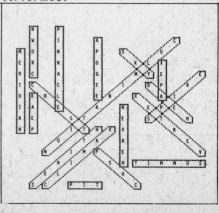

31. GOING UP

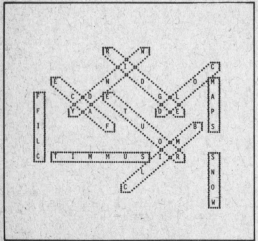

28. VISIT EAST ANGLIA

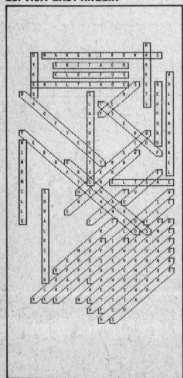

32. DIGESTION

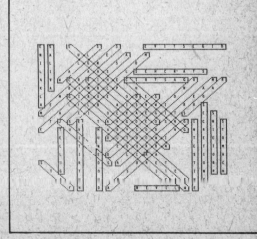